Edizione aggiornata

nuovo

L. Ruggieri
S. Magnelli
T. Marin

PROGETTO ITALIANO

2

Quaderno degli esercizi
e delle attività video

livello elementare **B1-B2** QUADRO EUROPEO DI RIFERIMENTO

EDI_INGUA

www.edilingua.it

L. Ruggieri è insegnante di italiano come LS. Si è laureata in Lingue e Letterature Straniere all'Università degli Studi di Milano. Ha conseguito il dottorato presso l'Università di Granada, dove collabora come ricercatrice nell'ambito degli studi di linguistica e letteratura comparata con il /Grupo de investigaciones filológicas y de cultura hispánica/.

S. Magnelli insegna Lingua e Letteratura italiana presso il Dipartimento di Italianistica dell'Università Aristotele di Salonicco. Dal 1979 si occupa dell'insegnamento dell'italiano come LS; ha collaborato con l'Istituto Italiano di Cultura di Salonicco, nei cui corsi ha insegnato fino al 1986. Da allora è responsabile della progettazione didattica di Istituti linguistici operanti nel campo dell'italiano LS.

T. Marin dopo una laurea in Italianistica ha conseguito il Master Itals (Didattica dell'italiano) presso l'Università Ca' Foscari di Venezia e ha maturato la sua esperienza didattica insegnando presso varie scuole d'italiano. È direttore di Edilingua, autore di diversi testi per l'insegnamento della lingua italiana: *Nuovo Progetto italiano 1, 2, 3* (Libro dello studente), *Progetto italiano Junior 1, 2, 3* (Libro di classe), *La Prova Orale 1 e 2, Primo Ascolto, Ascolto Medio, Ascolto Avanzato, l'Intermedio in tasca, Ascolto Autentico, Vocabolario Visuale, Vocabolario Visuale - Quaderno degli esercizi* e coautore di *Nuovo Progetto italiano Video* e *Progetto italiano Junior Video*. Ha tenuto numerosi workshop didattici in tutto il mondo.

Gli autori e l'editore sentono il bisogno di ringraziare i tanti colleghi che, con le loro preziose osservazioni, hanno contribuito al miglioramento di questa edizione aggiornata.
Un sincero ringraziamento, inoltre, va agli amici insegnanti che, visionando e provando il materiale in classe, ne hanno indicato la forma definitiva.
Infine, un pensiero particolare va ai redattori e ai grafici della casa editrice per l'impegno profuso.

© **Copyright edizioni Edilingua**
Sede legale
Via Cola di Rienzo, 212 00192 Roma
Tel. +39 06 96727307
Fax +39 06 94443138
info@edilingua.it
www.edilingua.it

Deposito e Centro di distribuzione
Via Moroianni, 65 12133 Atene
Tel. +30 210 5733900
Fax +30 210 5758903

I edizione: giugno 2013
ISBN: 978-960-693-119-2
Redazione: Antonio Bidetti, Gennaro Falcone, Viviana Mirabile, Laura Piccolo
Impaginazione e progetto grafico: Edilingua
Illustrazioni: Massimo Valenti
Registrazioni: *Networks Srl*, Milano

Grazie all'adozione dei nostri libri, Edilingua adotta a distanza dei bambini che vivono in Asia, in Africa e in Sud America. Perché insieme possiamo fare molto! Ulteriori informazioni sul nostro sito.

Stampato su carta priva di acidi, proveniente da foreste controllate.

Gli autori apprezzerebbero, da parte dei colleghi, eventuali suggerimenti, segnalazioni e commenti sull'opera (da inviare a redazione@edilingua.it)

Premessa

Edizione aggiornata del Quaderno degli esercizi

La decisione di realizzare una "edizione aggiornata" del Quaderno degli esercizi di *Nuovo Progetto italiano 2*, livello B1-B2 del Quadro Comune Europeo di Riferimento per le Lingue, è stata dettata dalla necessità di voler offrire all'insegnante e allo studente un rinnovato strumento, di lavoro e di studio. Il fatto che il Quaderno degli esercizi venisse utilizzato con successo da migliaia di docenti in tutto il mondo, ci ha permesso di raccogliere numerosi commenti, consigli e suggerimenti di cui abbiamo tenuto conto per apportare degli interventi mirati in questa edizione aggiornata. Non siamo quindi partiti dal presupposto di modificare radicalmente il Quaderno del corso di lingua, ma ci si è messi al lavoro con la consapevolezza di voler apportare dei miglioramenti. I principali punti su cui siamo intervenuti riguardano:

- una maggiore coerenza del lessico tra Quaderno degli esercizi e Libro dello studente. In questa versione aggiornata del Quaderno figurano, tranne rare eccezioni, soltanto termini che lo studente incontra nel Libro;
- sono state utilizzate diverse tipologie di esercizi, contestualizzandoli e utilizzando spesso materiale autentico per avere una maggiore varietà ed evitare la ripetizione;
- una particolare attenzione è stata data alle strutture e alle parole incontrate in unità precedenti, le quali vengono sistematicamente riprese in quelle successive in un approccio a spirale;
- ogni unità è stata arricchita con uno o due esercizi di reimpiego sugli elementi lessicali o comunicativi trattati;
- sono state riviste tutte le istruzioni affinché non creino problemi di comprensione agli studenti;
- le Attività video (dei soli "episodi") sono ora poste al termine di ogni unità per integrare meglio il video alle altre risorse che compongono il corso, per creare una diretta connessione tra corso cartaceo e *Nuovo Progetto italiano Video 2*;
- è stata aggiunta un'appendice (*Approfondimento grammaticale*) per dare allo studente uno strumento da consultare, uno strumento a portata di mano come aiuto per poter riflettere sui principali fenomeni grammaticali, trattati in maniera chiara e semplice;
- l'apparato iconografico è stato rinnovato e ampliato con nuove foto e nuove illustrazioni, queste ultime spesso funzionali all'esercizio. Il Quaderno è ora interamente a colori.

In questa edizione aggiornata del Quaderno, le attività rispecchiano sempre la suddivisione per sezioni del Libro dello studente e l'organizzazione dei rimandi all'interno di quest'ultimo.

Come nel Libro dello studente, anche nel Quaderno degli esercizi, i brani audio sono stati registrati da attori professionisti affinché fossero più naturali e spontanei. Oltre ai brani audio autentici, abbiamo anche delle interviste autentiche incentrate su alcuni argomenti trattati nelle unità. *Nuovo Progetto italiano 2* ha 2 CD audio allegati al Quaderno degli esercizi senza alcun costo aggiuntivo, ma sono disponibili entrambi anche sul sito di Edilingua, tutte le tracce possono essere ascoltate in streaming, e nel software per la Lavagna Interattiva Multimediale.

Il Quaderno degli esercizi, oltre alle varie esercitazioni disegnate tenendo presenti le tipologie delle certificazioni Celi, Cils, Plida e di altri diplomi, comprende i test finali, presenti al termine di ciascuna unità, 4 test di ricapitolazione (uno ogni tre unità) che permettono allo studente di confrontarsi e misurarsi sui contenuti comunicativi e, soprattutto, grammaticali emersi nelle corrispondenti unità e 4 test di progresso, che presentano le tipologie più diffuse delle principali certificazioni per i livelli B1-B2 e un valido aiuto per prepararsi agli esami. Si consiglia il loro uso nella fase finale del percorso di apprendimento, cioè durante lo studio delle ultime unità didattiche. Due Giochi didattici, tipo "gioco dell'oca" chiudono il Quaderno degli esercizi: il primo riprende gli input più significativi delle prime 5 unità e il secondo è un riepilogo dell'intero libro.

Quest'edizione aggiornata del Quaderno, come già accennato, è stata arricchita anche di una sezione grammaticale (*Approfondimento grammaticale*).

Il materiale video, e in particolare gli "Episodi", sono una delle componenti più importanti del corso. Seguendo la stessa progressione lessicale e grammaticale del Libro dello studente, ogni episodio è una mini-storia che completa i dialoghi e gli argomenti dell'unità. Quindi una sit-com didattica, che unita alle "Interviste" e ai "Quiz", gli altri due percorsi di *Nuovo Progetto italiano Video*, può essere guardata o durante le unità o in piena autonomia, senza per questo perdere il suo interesse e la sua validità didattica.

In conclusione, nella stesura della presente edizione del Quaderno degli esercizi si è sempre cercato di rendere semplici e piacevoli le esercitazioni, anche attraverso l'uso di una lingua il più possibile vicina alla realtà e contestualizzata. Siamo certi che il corso intero ne risulta migliorato e *Nuovo Progetto italiano* è ora più facile, più veloce, più motivante e più moderno!

I materiali extra

Nuovo Progetto italiano 2 è completato da una serie di materiali:

- DVD Video (90' - *Nuovo Progetto italiano Video 2*, compatibile con Windows e Mac), allegato al Libro dello studente, con episodi di una sit-com didattica, interviste autentiche e un innovativo quiz; corredato della *Guida per l'insegnante* on line.
- *i-d-e-e*, una piattaforma che comprende tutti gli esercizi del Quaderno in forma interattiva e una serie di risorse e strumenti per studenti e insegnanti.
- *Software per la Lavagna Interattiva Multimediale*, di alta qualità, semplice, funzionale, intuitivo e completo. Una risorsa multimediale che permette di utilizzare in maniera interattiva, e su un unico supporto, tantissimi sussidi didattici (audio, video, unità didattiche, giochi, test ecc.). Offre all'insegnante enormi potenzialità nella gestione della lezione e della classe e incentiva la partecipazione, la motivazione e la collaborazione degli studenti.
- 2 *CD audio*, allegati al Quaderno degli esercizi
- *Undici Racconti*, brevi letture graduate ispirate alle situazioni del Libro dello studente.

Molti dei materiali extra sono gratuitamente scaricabili dal sito di Edilingua. Tra questi abbiamo:

- CD-ROM interattivo (versione 2.1), compatibile con tutte le versioni Windows e Macintosh, e scaricabile dal sito di Edilingua. Un innovativo supporto multimediale che offre tante ore di pratica supplementare e, grazie all'alto grado di interattività, rende lo studente più attivo, motivato e autonomo. Per ogni attività svolta l'allievo ottiene una valutazione formativa, un feedback positivo e incoraggiante, e ha la possibilità di visionare le soluzioni.
- la *Guida per l'insegnante*, che offre idee e suggerimenti pratici e prezioso materiale da fotocopiare;
- i *Test di progresso*;
- i *Glossari* in varie lingue;
- le *Attività extra e ludiche*;
- i *Progetti*, uno per unità, per una didattica cooperativa e orientata all'azione (*task based learning*);
- le *Attività online*, cui rimanda un apposito simbolo alla fine di ogni unità e propongono, attraverso siti sicuri e controllati periodicamente, motivanti esercitazioni che accompagnano lo studente alla scoperta di un'immagine più viva e dinamica della cultura e della società italiana.

Buon lavoro!
Gli autori

1. Completa il testo con gli articoli determinati e indeterminativi.

Per molti italiani entrare in (1)............. bar fa parte del loro programma giornaliero. Ci possono andare (2)............. mattina a fare colazione con cappuccino e cornetto, all'ora di pranzo per (3)............. panino, (4)............. pomeriggio per (5)............. dolce seguito da (6)............. buon caffè, oppure (7)............. sera per bere qualcosa con (8)............. amici: (9)............. arancia-ta, (10)............. birra o (11)............. aperitivo. (12)............. caffè non costa molto e, di solito, prima di ordinare al barista dietro (13)............. banco dobbiamo pagare, dobbiamo "fare (14)............. scontrino".

2. Completa con i possessivi e l'articolo, se necessario.

1. Ci sono molti treni per Milano. Partiamo nel pomeriggio, ... treno è quello delle 18.25.
2. Il fratello di Gianni è molto simpatico, invece .... sorella è proprio antipatica.
3. Flavia, di chi è questo cellulare? È .... o di Carla?
4. - È questo l'indirizzo di Luca? - Sì, è ....
5. Io ho due cani. .... cani sono intelligenti.
6. - Gianna è la zia di Franco e Piero? - No, non è .... zia, è la sorella.

3. Scrivi il contrario dei seguenti aggettivi.

1. freddo   ....
2. simpatico   ....
3. alto   ....
4. dolce   ....
5. felice   ....

6. piccolo   ....
7. bello   ....
8. buono   ....
9. magro   ....
10. stretto   ....

4. Abbina le frasi.

a.
1. Mi chiamo Tiziana.
2. Scusa, per l'università?
3. Grazie mille!
4. Cosa prende per primo?
5. Quando è il tuo compleanno?
6. Cosa danno al cinema?
7. Quanto viene?

a. Niente di bello.
b. Preferisco solo un secondo.
c. Piacere, io sono Paolo.
d. 25 euro con lo sconto.
e. Va' dritto e al primo incrocio gira a sinistra.
f. Figurati!
g. Il 4 agosto.

b.

1. Quanti anni ha Carlo?
2. Fai tu i biglietti per Firenze?
3. Come Le sta il vestito, signora?
4. Dove abiti ora?
5. Quanto formaggio vuole?
6. Mi presteresti il tuo cellulare?
7. Di che colore è?

a. In Via Matteotti, in centro.
b. Un po' piccolo. Mi dà una taglia più grande, per favore?
c. Tre etti vanno bene, grazie.
d. Prendilo pure!
e. È rosso, ma c'è anche in nero.
f. Avrà circa trent'anni, non di più.
g. Sì! Andata e ritorno?

5. Presente, passato prossimo, imperfetto o trapassato prossimo? Completa il testo con i verbi dati.

Cara Flavia,

una volta mi (1. chiedere) ....: «Ma dove vi siete conosciuti tu e lo zio Edoardo?». E tua madre ha risposto per me: «In Brasile». «E dove (2. stare) .... il Brasile?» hai detto tu. Tuo zio Edoardo ed io (3. conoscersi) .... a Rio de Janeiro dove io tenevo un corso sulla scrittura teatrale all'Università Alvares Penteado e lui (4. insegnare) .... violino al-la scuola di musica municipale oltre a dare concerti in varie altre cit-tà. Io abitavo nell'Istituto italiano di cultura, ospite di Antonio De Si-mone e di sua moglie Monique. I De Simone (5. essere) ....

Dacia Maraini

.... molto gentili, amavano avere la casa piena di gente: ogni volta che qualcuno arrivava dall'Italia, lo (6. ospitare) .... a casa loro. Per questo avevano due camere sem-pre pronte.

In una fotografia fatta da tuo zio Edoardo, io (7. scendere) .... da una scala che era quella interna dell'Istituto e tengo in mano dei quaderni. Passavo la giornata a leggere e a prendere appunti per la lezione serale: l'università (8. aprire) .... solo dopo le cinque. Gli studenti a Rio hanno tutti un lavoro e perciò (9. potere) .... dedicar-si agli studi solo nel tardo pomeriggio.

Tuo zio continuava a fotografarmi, coi libri sotto il braccio mentre scendevo le scale, uscivo dal-l'Istituto, (10. mangiare) .... al tavolo di cucina dei De Simone. Ma io non (11. capire) .... che gli piacevo. Era tanto timido tuo zio. Infine i giorni a Rio sono terminati. (12. Partire) .... con due aerei diversi, ad un giorno di distanza, e lui mi aveva chiesto solo il numero di telefono di Roma. Dopo una decina di giorni mi ha telefonato e mi (13. invitare) .... a cena per la sera dopo.

Adattato da *Dolce per sé* di D. Maraini

6. Completa le frasi con i pronomi diretti e i pronomi indiretti.

1. Stasera io sono a casa, se vuoi .... puoi chiamare verso le otto.
2. Allora ragazzi, ... è piaciuto il film?
3. Non riesco a trovare le chiavi di casa. Dici che .... ho perse?
4. Che ne dici? .... piace la mia nuova sciarpa?
5. Andrea ha mandato il suo curriculum vitae con un'email, ma non .... hanno ancora risposto.
6. - Gloria, vuoi un caffè? - Sì, grazie, ... prendo volentieri.

7. Completa il testo con il futuro semplice e il condizionale (semplice o composto) dei verbi dati.

È dai tempi dell'università che dicevo a Federica che (1. volere) ....
.... andare negli Stati Uniti. Finalmente, in estate ci (2. andare) ....
.... e sono sicuro che (3. divertirsi) .... tanto. In realtà,
Federica (4. preferire) .... andare in Giappone, ma... pazienza.
(5. Volere) .... venire anche Sandra e Gianni, ma ancora non
sono sicuri. Dicono che non (6. sapere) .... dove lasciare il loro
cane. Al posto loro, io lo (7. portare) .... con me. Ci fermeremo
un mese negli Stati Uniti, (8. visitare) .... varie città e a San
Francisco ci (9. ospitare) .... una nostra amica, Roberta. (10.
Fare, io) .... già .... i biglietti aerei, però all'agenzia di viaggi mi hanno detto di
aspettare qualche giorno perché (11. esserci) .... sicuramente delle offerte.

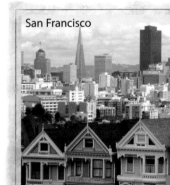

San Francisco

8. Completa l'articolo con le preposizioni corrette.

Lo *Street Art*, Festival romano (1).............. Arti di Strada, un modo freak, particolare, (2).............. esprimere il talento e fare spettacolo, arriva (3).............. sua IV edizione: 11 e 12 maggio nel Rione Borgo, luogo storico (4).............. capitale.
Sotto la cupola di S. Pietro, lungo Borgo Vittorio e Borgo Pio, (5).............. Via dei Tre Pupazzi e Via Degli Ombrellari, fino (6).............. Piazza delle Vaschette e Piazza del Canalone, gli attori inviteranno romani e turisti (7).............. partecipare. A produrre l'evento il Municipio Roma XVII (ora Municipio Roma I): «Siamo felici (8).............. poter far continuare questa importante esperienza – spiegano gli organizzatori – sia (9).............. gli artisti che per tutti gli spettatori».
Una specie di viaggio urbano e metropolitano underground (10).............. scoperta, non solo del teatro di strada, ma di case, negozi, stradine e piccole piazze caratteristiche della città. «Il rapporto (11).............. artista e spettatore – continuano gli organizzatori – è un'esperienza magica: gli artisti di strada dimostrano che l'arte non è qualcosa (12).............. estraneo e non raggiungibile, ma fa parte di noi, vera chiave (13).............. migliorare la vita». Infine, l'edizione di quest'anno di Street Art ospiterà anche una mostra fotografica (14).............. teatro di strada e altre iniziative "top secret".

Adattato da *www.ansa.it* (Eugenia Romanelli)

9. Completa con i verbi all'imperativo.

1. Lucia, questa sera (venire) .... a cena da noi!
2. Ragazzi, non (dimenticarsi) .... di telefonare a vostra madre!
3. Antonio, non (fumare) .... in macchina!
4. È tutto il giorno che lavori, (riposarsi) .... un po'!
5. Elisa, (stare) .... tranquilla!
6. Ragazzi, (guardare) .... questo video su YouTube!

10. Completa con i verbi dati.

1. Tra amici .... sempre.
2. Da casa mia alla stazione, in macchina, ... dieci minuti.
3. Per fare gli spaghetti alla carbonara .... le uova.
4. Nelle piccole città .... meglio.
5. Per finire questo nuovo ospedale .... almeno cinque anni.
6. Hai fatto in fretta, ... poco a prepararti.
7. Per completare questo lavoro .... tanti anni.
8. Luca .... sempre il cappello prima di uscire.

si vive   ci hai mess

ci si aiuta

ci vogliono   ci vorranno

ci sono voluti

si mette   ci metto

11. Osserva le immagini e risolvi il cruciverba.

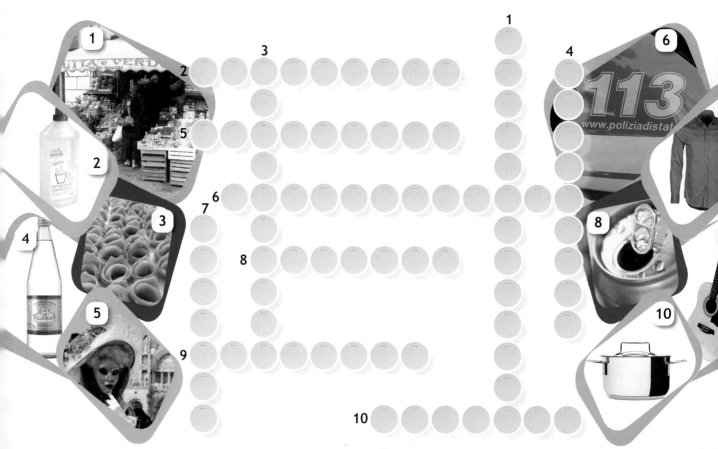

1. Collega le frasi con l'oggetto corrispondente.

 **a.** la collana

 **b.** le chiavi

 **c.** le foto

 **d.** gli occhiali da sole

 **e.** il caffè

 **f.** i soldi

1. Ve le lascio sul tavolo della cucina.
2. Te li presta mia sorella, perché c'è molto sole.
3. Me lo offri al bar?
4. Quando tornano dalle vacanze ce le fanno vedere.
5. Se è troppo pesante, te lo porto io.
6. Gliela regalo a mia moglie per il nostro anniversario.
7. Me li presta lui.

 **g.** lo zaino

2. Scegli i pronomi combinati corretti.

1. - Claudio, ci puoi lasciare le ultime pagine dei tuoi appunti?

   - Certo, ... lascio subito, così fate le fotocopie.

   a. te le   b. ve le   c. ve lo

2. Se Laura ha bisogno dei libri, ... posso prestare io.

   a. te li   b. glieli   c. glielo

3. - Puoi dire tu a Lorenzo che l'appuntamento è alle 6?

   - Certo, ... dico io.

   a. glielo   b. ce lo   c. glieli

4. Sono arrivati i tuoi amici dalla Francia? Quando .... farai conoscere?

   a. ve li   b. me li   c. te li

5. Lorenzo e Beatrice vogliono i tuoi appunti, ... porto io?

a. ve li   b. ce li   c. glieli

3. Completa con i pronomi combinati.

1. • Ragazzi, cercate di scrivere la composizione sul Romanticismo per lunedì.
   • Professoressa, possiamo consegnar......................... mercoledì?

2. • Piero, quando puoi, mi lasci il tuo quaderno?
   • Certo, ... do domani.

3. • Chi ti ha detto che Maria e Stefano si sono lasciati?
   • Scusami, ma non .... posso dire.

4. • Chi ti darà gli appunti di Letteratura?
   • .... porterà a casa Claudio.

5. • Gianni, ci puoi prestare il dizionario? Non capiamo il significato di alcune parole.
   • .... presto, ma sapete che l'insegnante non vuole che lo usiamo.

4. Completa le frasi con i pronomi combinati e i verbi al tempo giusto, come nell'esempio.

Se vuoi questa rivista, (comprare) te la compro volentieri.

1. A Paolo piacciono i libri e io (regalare) .... uno al mese.

2. Signora, Le stanno bene queste scarpe, (consigliare) ....

3. Tiziano, appena avrò finito di leggere il libro, (dare) ....

4. Ragazzi, appena l'ho saputo, (dire) ....

5. Se Anna vorrà conoscere tutta la storia, (raccontare) ....

6. Da piccolo mi piacevano molto i dolci, i miei genitori (comprare) .... sempre.

5 Collega le frasi scegliendo il pronome combinato corretto. Evidenzia anche il nome che si riferisce al pronome *ne*, come nell'esempio.

1.	Ho finito il latte,	**ve ne**	a. diamo noi una copia.
2.	Vuoi dell'acqua?	**gliene**	b. consiglio uno molto bello.
3.	A Lucio serve una bicicletta nuova:	**ce ne**	c. compri un litro?
4.	Abbiamo già finito gli esercizi; professoressa	**Te ne**	d. regaliamo una noi?
5.	Se volete leggere un libro	**me ne**	e. dà degli altri?
6.	Se vogliono gli appunti delle lezioni	**gliene**	f. porto un bicchiere.

6. Completa con i pronomi combinati.

Ugo 2000   pubblicato   Quote

URGENTE

Cerco le ultime lezioni di Fisica II. Qualcuno (1. a me) .... può prestare?

Mi piace 2

Franco B.   pubblicato   Quote

Io le ho, se vuoi (2. a te) .... posso portare in facoltà,

ma dovresti ridar........................ (3. a me) al più presto.

Mi piace 1

Maria e Rosa   pubblicato   Quote

CONCERTO VASCO ROSSI - Abbiamo due biglietti per il concerto del 7 maggio. Non

possiamo più andarci. (4. A voi) .... possiamo vendere a metà prezzo.

Mi piace 1

Aldo   pubblicato   Quote

Io vorrei andarci. (5. A me) .... vendi uno?

Mi piace 2

Piero   pubblicato   Quote

Magnifico! Ci vorrei andare con la mia ragazza. Se (6. a noi) .... dai

tutti e due, li prendo io.

Mi piace 2

Iusiuris   pubblicato   Quote

ESAME DI DIRITTO CIVILE I

Ho bisogno del libro per preparare l'esame. Chi (7. a me) .... vende?

Mi piace 0

A. N.   pubblicato   Quote

Un mio amico ha appena dato l'esame.

Forse lo vuole vendere: (8. a lui) .... chiedo.

Mi piace 0

7. Trasforma le frasi secondo il modello.

Se desideri quel libro, posso regalartelo/te lo posso regalare io per Natale.

1. I documenti che mi hai chiesto, (potere mandare) solo la prossima settimana.

   ....

2. Ho chiesto a Caterina il numero di telefono di Piero, ma non (volere dare).

   ....

3. Se volete dei libri per le vacanze, (potere prestare) io due o tre molto divertenti.

   ....

4. Laura, le foto che abbiamo fatto, (dovere mandare) via e-mail?

   ....

5. Federico, il cellulare (volere regalare) io.

   ....

6. Ho bisogno di un buon caffè: signorina, (potere preparare) uno?

   ....

8. Completa i dialoghi con le espressioni date.

Scusa	Le chiedo scusa	Mi scuso del mio comportamento	Ti chiedo scusa

Ma che dici	Figurati	Non importa	Si figuri

1. *Gianni:* ...., ma non ho fatto in tempo a portare i libri in biblioteca.
   Tonia: ....! Non preoccuparti: ci andrò io nel pomeriggio.

2. *Impiegato:* Direttore, ..., ma non posso rimanere, devo proprio andare via.
   Direttore: ....! Chiederò alla signora Barbara di sostituirLa.

3. *Franco:* ...., veramente, non volevo offenderti.
   Renato: ....! Per fortuna siamo fra amici.

4. *Moglie:* .... tanto, ma stasera non ho voglia di andare al cinema.
   Marito: ...., tanto sono stanco anch'io.

9. Scegli i pronomi combinati corretti.

1. ● Ho saputo che Aldo si è diplomato. .... ha detto Luca.
   ● Sì, si è diplomato il mese scorso.

a. Me li	**b.** Me l'	**c.** Me lo

2. ● Non mi ricordo: mi hai dato le chiavi?
   ● .... ho date poco fa, le hai messe nella borsa.

a. Te le	**b.** Te lo	**c.** Te l'

3. ● Chi ha dato il mio numero di telefono a Lorenzo?
   ● .... ho dato io.

a. Gliel'	**b.** Ce l'	**c.** Te l'

4. ● Hai fatto gli auguri a Piero?

   ● .... ho fatti con un sms, ma non mi ha ancora risposto.

   | a. Gliele | b. Glieli | c. Glielo |

5. ● Hai tu le mie fotocopie?

   ● Sì, ... hai date ieri, non ti ricordi?

   | a. Me li | b. Me l' | c. Me le |

6. ● Quanti giocattoli vi hanno regalato?

   ● .... hanno regalati tre.

   | a. Ce li | b. Ce l' | c. Ce ne |

10. Riscrivi le frasi evidenziate in blu, usando i pronomi combinati, come nell'esempio.

Mi hai chiesto un favore: ti ho fatto un favore.
Mi hai chiesto un favore e te l'ho fatto.

1. Volevate una cena da *Cipriani*. Vi ho offerto una cena da *Cipriani*.

   Volevate una cena da *Cipriani* e ....

2. Avevamo bisogno degli appunti di Massimo: lui ci ha dato i suoi appunti.

   Avevamo bisogno degli appunti di Massimo e ....

3. Avevo comprato un regalo per Gianni e ieri gli ho dato il mio regalo.

   Avevo comprato un regalo per Gianni e ....

4. Ho chiesto ad Angela la sua macchina e lei mi ha prestato la sua macchina.

   Ho chiesto ad Angela la sua macchina e ....

5. Un mese fa, Lucia mi ha prestato 50 euro e le ho già restituito i 50 euro.

   Un mese fa, Lucia mi ha prestato 50 euro e ....

6. Ho chiesto la medicina al farmacista e lui mi ha dato la medicina.

   Ho chiesto la medicina al farmacista e ....

11. Completa le risposte con i pronomi combinati e i verbi.

1. ● Avete portato le composizioni?

   ● Professoressa, ... solo una, l'altra non l'ho ancora finita.

2. ● Hai fatto vedere le nostre foto ai ragazzi?

   ● No, ancora non .... vedere.

3. ● Quando vi hanno consegnato la lettera?

   ● .... una settimana fa.

4. ● Chi ti ha detto che Francesco e Massimo sono partiti?

   ● .... Anna e Giulio.

5. ● Il professore vi ha spiegato i pronomi?

   ● No, non .... ancora ....

6. ● Chi ti ha regalato questi orecchini?

   ● .... mio marito per il mio compleanno.

12. Completa la mail che Fabrizio scrive a Piero con i pronomi combinati.

File Modifica Visualizza Inserisci Formato Strumenti Messaggio ?

A...   pier9pier@libero.it

Cc...

Oggetto   saluti

Ciao Piero,

come stai? Io sto abbastanza bene, anche se studio molto. Ti ricordi? (1)........................ avevi detto che l'università non sarebbe stata facile.

Lo sai cosa mi è successo la settimana scorsa? Era appena finita la lezione quando ho incontrato Lorenzo che voleva i miei appunti per l'esame di letteratura. Quando (2)........................ ha chiesti, sembrava così preoccupato che subito gli ho detto di telefonare a Valeria: ero sicuro che lei (3)........................ avrebbe prestati. E, infatti, così è stato! Ieri, mi ha telefonato Lorenzo arrabbiatissi-mo, perché non aveva superato l'esame, dicendo che gli appunti non erano completi. Pensa che io (4)........................ avevo detto che "i poeti minori dell'Ottocento" era un argomento fisso della profes-soressa Levi. Lei stessa, durante le lezioni, (5)........................ aveva ripetuto tante volte che sarebbe stata una domanda d'esame.

Certo che la gente è strana!

Tu, tutto bene? Hai parlato a Giulia? (6)........................ hai detto che vorresti cambiare lavoro? Il libro che volevi, (7)........................ ho spedito la settimana scorsa, ti è arrivato? Quando verrai a trovarmi? Ti ricordo che (8)........................ avevi promesso.

Ciao
Fabrizio

13. Scegli l'espressione giusta tra quelle date.

1. - Hai saputo che Attilio ha comprato una Ferrari?
   - Caspita! / Ma va! Con il suo stipendio al massimo avrà comprato una Cinquecento.

2. - Mi ha telefonato Nicola e mi ha detto che si sposa fra una settimana.
   - Davvero?! / Non è vero! Ma diceva sempre che lui non si sarebbe mai sposato!

3. - Hai saputo che Luciana ha vinto una borsa di studio all'università?
   - Non importa! / Chi l'avrebbe mai detto? Questa sì che è una bella notizia!

4. - Sai che Ilaria e Vanni si sono lasciati?
   - Caspita! / Figurati! Come mai? Stavano insieme da quindici anni!

5. - Lo sai che vado per qualche giorno sulle Alpi?
   - Non fa niente! / No! Con questo tempo ti consiglio di andare al mare!

14

6. - Hai sentito che il padre di Antonio ha avuto un incidente?
   - Bravo! / Incredibile! Proprio lui, che è sempre così attento!

7. - Lo sai che oggi è sciopero e le poste sono chiuse?
   - Prego! / Non me lo dire! Come faccio ora a spedire questo pacco?

8. - Caro Paolo, ti comunico che il direttore ci darà una settimana di ferie pagate!
   - Non ci credo! / Non fa niente! Sarà sicuramente uno scherzo!

14. Completa con quanto, quanti, quanta, quante.

1. .... uova sono necessarie per preparare questa torta?
2. Sai .... gente c'era alla festa?
3. Da .... tempo studi l'italiano?
4. .... ore studi al giorno?
5. .... canzoni conosci di questo cantante?
6. .... operai lavorano in questa fabbrica?

15. Completa con quale, quali.

1. Oltre a Los Angeles, ... altre città avete visitato in America?
2. E .... è la città che ti è piaciuta di più?
3. .... colore, tra questi, preferisci?
4. .... di questi studenti verranno alla gita?
5. .... libro ti è piaciuto?

16. Cerchi lavoro. Durante il colloquio di lavoro in un'azienda ti fanno delle domande. Completa il testo con gli interrogativi.

1. ● .... Le ha consigliato di fare domanda alla nostra azienda?
2. ● .... lavori ha fatto prima di questo?
3. ● .... Le piace di questo lavoro?
4. ● .... è l'ultimo libro che ha letto?
5. ● .... anni ha e da .... lavora?
6. ● .... facoltà universitaria ha finito?

17. Scegli l'interrogativo corretto.

| che cosa | che cosa | chi | dove | perché | quale | quando | quanto |

1. .... vestito metterai per la festa di laurea?

2. .... ieri sera non sei uscito con noi?

3. .... stanno facendo i bambini?

4. Per .... sono queste bellissime rose rosse?

5. .... pensi di fare durante le vacanze?

6. .... sei andato in vacanza?

7. .... costa questo vestito?

8. .... pensi di venire?

18. Completa liberamente le frasi con gli interrogativi (negli spazi neri) e il verbo al modo e al tempo appropriato (negli spazi in rosso).

1. .... ieri non .... la verità? Non ti ha creduto nessuno.   (dire)

2. Paola, ... l'ultima volta all'estero? Negli Stati Uniti o in Austra-lia?
(andare)

3. Andrea, ... amici .... invitare al concerto? Lo sai che non ci sono molti biglietti.
(volere)

4. .... il tuo programma televisivo preferito, quando eri piccolo?
(essere)

5. Giulia, ... la macchina fotografica che abbiamo comprato ieri?
(mettere)

6. Ragazzi, ... alla festa questa sera? Con la macchina di Valeria?
(andare)

19. Completa con le preposizioni.

1. Se tu non ne hai voglia, vuol dire che andrò .... solo a mangiare .... ristorante.

2. Quest'anno andrò .... vacanza .... montagna: c'è meno confusione.

3. Lisa ha una bellissima casa .... periferia, ... mezzo .... verde, ma vorreb-be vivere .... centro.

4. Ma perché continui a ridere? Guarda che mi offendo .... serio.

5. Invece .... lavorare, in questo momento vorrei essere .... mare insieme .... mia famiglia.

6. Portofino si trova .... circa quaranta chilometri .... Genova.

20. Collega i verbi ai sostantivi.

1. iscriversi
2. frequentare
3. sostenere
4. prendere
5. partire
6. mangiare

a. un esame
b. per una vacanza-studio
c. alla mensa
d. all'università
e. un corso
f. appunti

21. Scrivi il nome delle facoltà che preparano a svolgere le seguenti professioni.

1. Chirurgo ....

2. Ingegnere ....

3. Architetto ....

4. Avvocato ....

5. Dentista ....

6. Insegnante di storia ....

CD 1
6

22. a. Molti giovani non terminano gli studi. Un sociologo ha risposto ad alcune domande su questo argomento. Ascolta l'intervista e indica qual è l'affermazione corretta.

1. Gli studenti che lasciano gli studi sono soprattutto:
   a. i giovani fra i 14 e i 17 anni
   b. i giovani fra i 20 e i 22 anni
   c. i giovani fra i 19 e i 22 anni

2. Una delle cause principali di questo fenomeno è che:
   a. la famiglia non aiuta i ragazzi in questa difficile età
   b. la scuola non risponde alle necessità dei ragazzi in questa difficile età
   c. i giovani vedono troppa televisione

3. Secondo il sociologo, i giovani di oggi:
   a. si sentono soli e non capiti
   b. hanno meno problemi di un tempo
   c. ricevono troppe informazioni dalla TV, Internet ecc.

4. La scuola, gli insegnanti dovrebbero:
   a. considerare solo il risultato delle prove orali e scritte
   b. far lavorare di più gli studenti in classe
   c. capire i problemi reali degli studenti e aiutarli a essere più critici

b. Ascolta di nuovo l'intervista e, in base alle risposte che hai dato nell'esercizio precedente, collega le seguenti parole alla definizione corrispondente.

1. adolescente
2. disagio
3. solitudine
4. media

a. difficoltà, problema
b. la TV, i giornali, Internet e tutti i mezzi di informazione
c. giovane fra i 12 e i 18 anni
d. sensazione di chi si sente solo

Test finale

A **Completa il dialogo con i pronomi combinati e la desinenza del participio.**

- Ciao Giovanna!
- Ciao Lucia!
- Che bella questa collana! È un regalo?
- Sì, (1).............................. ha regalat..... Sergio per il nostro primo anniversario.
- Ah già, era il vostro anniversario! E tu, cosa gli hai regalato?
- Avevo visto un orologio molto bello in un negozio in centro e (2)............................. ho comprat......
- Brava!
- Sì, ma sapevo che a lui piaceva: (3).............................. aveva dett..... tante volte. E voi, avete idea di cosa regalarvi per il vostro anniversario?
- Non puoi immaginare cosa è successo! Il regalo più bello (4)............................. hanno fatt..... i miei genitori: ci hanno regalato una vacanza a Londra!
- Davvero? (5)............................. ho sempre dett..... che hai due genitori fantastici!

B **Scegli le alternative corrette.**

1. ● (1)........................... che stasera facciamo una cena a casa mia? La solita compagnia.
   ● No, non (2)........................... A che ora?

   (1) a. Te l'ho detto   (2) a. ce lo dici
       b. Gliel'ho detto   b. me l'avevi detto
       c. Te l'hanno detto   c. te l'abbiamo detto

2. ● Signora, (1)........................... io questa valigia così pesante?
   ● Sì, grazie. Veramente... ne avrei un'altra. (2)...........................

   (1) a. te la porto   (2) a. Gliele potrei dare?
       b. gliela porto   b. Posso darla?
       c. me la porto   c. Gliela posso dare?

3. ● Amore, nel pomeriggio andiamo a vedere il nostro nuovo appartamento.
   ● No! (1)........................... Sei sicuro?
   ● Eh sì, è arrivato il momento.
   ● (2)........................... Finalmente avremo una casa tutta nostra!

   (1) a. Non ci credere!   (2) a. Chi l'avrebbe mai detto?!
       b. Quando?   b. Allora?
       c. Non è possibile!   c. Scherzi?! Quale?

4. Sono certo che Alessandra (1)........................... i soldi, se tu (2)........................... in modo gentile.

   (1) a. ce li presterà   (2) a. glieli chiederai

       b. ve le presterà   b. gliele chiederai

       c. ce li presterebbe   c. glieli avresti chiesti

5. ● (1)........................... vuoi andare a vedere l'ultimo film con Orlando Bloom?

   ● Ah, anche oggi pomeriggio! Non sai da (2)........................... tempo lo aspetto!

   (1) a. Che cosa   (2) a. quale

       b. Quando   b. che

       c. Chi   c. quanto

6. Luigi è al quinto anno di (1)..........................., dovrebbe (2)........................... l'anno prossimo.

   (1) a. Architetto   (2) a. lavorare

       b. Letteratura   b. laurearsi

       c. Medicina   c. iscriversi all'università

C Risolvi il cruciverba.

Orizzontali

1. È la lista degli argomenti da studiare per un esame.

3. Andiamo a ... per ascoltare il nostro insegnante e per imparare.

5. Quando finiamo la scuola superiore, possiamo iscriverci a una ... universitaria.

8. Alla fine della scuola media superiore facciamo l'esame di ...

9. Prima di frequentare un corso, in segreteria facciamo l'...

Verticali

2. Quando siamo in università, a pranzo andiamo alla ...

4. Di solito i libri sono suddivisi in diverse parti e ogni parte la chiamiamo ...

6. Durante la lezione, mentre il professore spiega, gli studenti prendono ...

7. Lo sosteniamo dopo avere studiato molto.

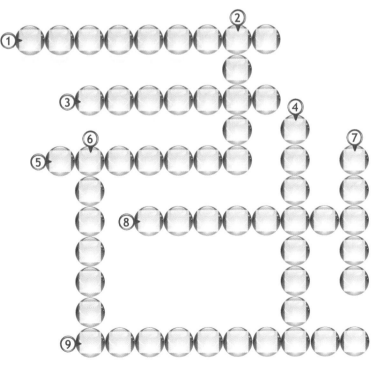

Risposte giuste .... /26

19

Attività Video - episodio *Com'è andato l'esame?*

Per cominciare...

1 Guarda i primi 20 secondi dell'episodio: dove siamo? Cosa succede, secondo te?

2 Cosa succederà ora? In coppia, provate a fare un'ipotesi su come continuerà l'episodio.

Guardiamo

1 Guarda l'episodio per intero e verifica l'ipotesi fatta in precedenza.

2 Inoltre, guarda di nuovo l'episodio e prova a capire il significato delle seguenti parole.

bocciato   mattone   appello   secchiona   media

3 Da quello che hai potuto capire guardando l'episodio, qual è il massimo voto che uno studente in Italia può ottenere a un esame universitario?

Facciamo il punto

In coppia, completate con le parole mancanti.

a. Lorenzo! Allora, ...?

Indovina: .... Per l'ennesima volta.

b. No! Arriva quella secchiona di Valeria! Sicuramente lei avrà preso un ....

1. Collega le frasi con l'immagine corrispondente e completa le frasi.

e. il pizzaiolo

a. l'orologio	**b.** avvocato	**c.** il telefono	**d.** il fruttivendolo

1. .... è un oggetto **che** serve per parlare con amici lontani.

2. .... è la persona **che** vende la frutta e la verdura.

3. .... è la persona **che** ha studiato giurisprudenza.

4. .... è quella persona **che** fa le pizze.

5. .... è un oggetto **che** porto per sapere che ora è.

f. le scarpe

6. Alla fine ho comprato .... **che** avevamo visto insieme in quella vetrina.

2. Trasforma la frase in blu, secondo il modello.

Cinzia è una ragazza. Cinzia ha studiato in Italia.
Cinzia è una ragazza che ha studiato in Italia.

1. Ho parlato con un'impiegata della banca. L'impiegata è stata molto gentile.

   Ho parlato con un'impiegata della banca ....

2. Ho aperto un conto in banca. Il conto offre molti vantaggi.

   Ho aperto un conto in banca ....

3. In banca mi hanno dato un bancomat. Userò il bancomat per fare acquisti.

   In banca mi hanno dato un bancomat ....

4. Con il bancomat posso fare operazioni via Internet. Le operazioni via Internet mi eviteranno le file in banca.

   Con il bancomat posso fare operazioni via Internet ....

5. Grazie al bancomat posso prelevare soldi dagli sportelli automatici. Gli sportelli automatici sono dappertutto.

   Grazie al bancomat posso prelevare soldi dagli sportelli automatici ....

6. Michele non vuole aprire un altro conto, perché ha già una carta di credito. Michele usa troppo la carta di credito.

   Michele non vuole aprire un altro conto, perché ha già una carta di credito ....
   ....

3. **a. Completa le frasi con le parole del riquadro.**

> che correva - che ho lasciato - che avevamo visto - che ha comprato
> che poi sarebbe diventata - che continuava

1. Tra gli invitati c'era anche la sorella di Mario, ... a parlare delle sue ultime vacanze.

2. Alla fine ho comprato quei pantaloni .... insieme in quel negozio.

3. A quella festa avevo conosciuto Silvana, ... una mia grande amica.

4. Gianni osservava dalla finestra il cane di quella signora .... per il giardino.

5. L'altro giorno abbiamo incontrato il figlio della vicina .... una casa al mare.

6. Per favore, prendi tu i libri .... sul tavolo?

b. Nelle frasi 1, 4 e 5 dell'esercizio precedente _che_ può avere due significati. Modifica le frasi usando il quale, la quale ecc.

1. ....

4. ....

5. ....

4. **Sostituisci i pronomi in blu secondo il modello.**

La storia di cui ti ho parlato è successa qualche anno fa.
La storia della quale ti ho parlato è successa qualche anno fa.

1. La città in cui vivo è abbastanza tranquilla.

.... vivo è abbastanza tranquilla.

2. La carta di credito con cui volevamo pagare non funzionava.

.... volevamo pagare non funzionava.

3. I miei amici sono le uniche persone di cui mi fido.

.... mi fido.

4. Giovanna è la persona su cui posso contare nei momenti difficili.

.... posso contare nei momenti difficili.

5. Non posso veramente capire il motivo per cui vuoi cambiare lavoro!

.... vuoi cambiare lavoro!

6. La persona a cui ho dato quella lettera è un mio collega.

.... ho dato quella lettera è un mio collega.

5. **Completa le frasi con i pronomi relativi del riquadro.**

> a cui   con cui   su cui   da cui   in cui   per cui

1. L'aereo .... viaggiamo è dell'Alitalia.

2. Il professore .... prendo lezioni abita vicino a casa mia.

3. La casa .... abita Giovanni ha un giardino molto bello.

4. La rivista .... scrive Giulio è molto famosa.

5. Il turista .... ho dato delle informazioni era americano.

6. Gli amici .... sono uscito ieri sera sono molto simpatici.

6. Rispondi alle domande secondo il modello.

Chi è Marcella? (*Gianni esce con lei*)
È la ragazza con cui esce Gianni.

1. Chi è Giovanna? (*ho viaggiato con lei da Roma a Milano*)
   È la ragazza ....

2. Chi sono Sergio e Matteo? (*di loro parla spesso mio fratello*)
   Sono i ragazzi ....

3. Chi sono Federica e Monica? (*ho prestato a loro i miei appunti*)
   Sono le ragazze ....

4. Chi è Adriano? (*ho dato a lui il mio biglietto della partita*)
   È il ragazzo ....

5. Chi è Lorenzo? (*è interessante parlare con lui*)
   È il ragazzo ....

6. Chi sono Tiziana e Carlo? (*esco ultimamente con loro*)
   Sono i ragazzi ....

7. Unisci le frasi usando i relativi secondo il modello.

Sono tornato da un'isola – l'isola si trova vicino alla Spagna.
L'isola da cui sono tornato si trova vicino alla Spagna.

1. Hai messo il libro nello zaino – lo zaino è di Antonio.
   Lo zaino ....

2. Il treno si è fermato mezz'ora in una città – la città è famosa per il suo prosciutto.
   La città ....

3. Gianni esce con una ragazza – la ragazza si chiama Cristina.
   La ragazza ....

4. Parlavamo prima di un ragazzo – il ragazzo è arrivato da poco.
   Il ragazzo ....

5. Mario telefona tutte le sere a una ragazza – la ragazza si chiama Paola.
   La ragazza ....

6. Andiamo spesso a mangiare in un ristorante – il ristorante si trova in centro.
   Il ristorante ....

8. Completa le frasi con i pronomi relativi.

1. La città .... ho visitato questo fine settimana è ricca di monumenti.

2. Le persone .... verranno a cena sono le stesse .... ho viaggiato in aereo.

3. Salvatore e Rosalia sono i cugini .... vivono in Sicilia e .... passavo le vacanze quando ero piccolo.

4. Gli appunti .... cerchi sono sul tavolo .... ci sono anche i libri.

5. La casa .... abitiamo è un meraviglioso appartamento, ... abbiamo comprato dieci anni fa.

6. Grazie, hai trovato proprio le parole .... avevo bisogno!

9. Trasforma, dove possibile, le parti in blu delle frasi con il relativo dove, come nell'esempio. Consulta anche l'Approfondimento grammaticale.

> Sono stato in un locale in cui suonano musica jazz.
> Sono stato in un locale dove suonano musica jazz.

1. Sono stato in un ristorante in cui preparano ottimi primi piatti.

   Sono stato .... ottimi primi piatti.

2. A me non piace il modo in cui cerchi di risolvere i tuoi problemi.

   A me non piace .... di risolvere i tuoi problemi.

3. Federico è l'unica persona in cui ho fiducia.

   Federico è l'unica persona ....

4. Andrò al mare in un posto in cui è possibile arrivare solo a piedi.

   Andrò al mare .... arrivare solo a piedi.

5. Per Alessia questo è un periodo in cui tutto le va male.

   Per Alessia questo è .... le va male.

6. Il 15 agosto è il giorno in cui ho conosciuto Fabio, l'amore della mia vita.

   Il 15 agosto è .... Fabio, l'amore della mia vita.

7. Quella è la casa in cui è nato Giovanni Verga.

   Quella è .... Giovanni Verga.

Giovanni Verga
(Catania, 1840-1922)

10. Collega le due frasi secondo il modello.

> Amo un ragazzo – gli occhi del ragazzo sono verdi.
> Amo un ragazzo i cui occhi sono verdi.

1. Ho conosciuto un ragazzo – il sogno del ragazzo è viaggiare per il mondo.

   ....

2. Ho aperto un conto corrente – i vantaggi del conto corrente sono molti.

   ....

3. Ivo e Daniel, – i genitori di Ivo e Daniel vivono a Rio de Janeiro, telefonano spesso in Brasile.

....

4. Ecco il professor Marini – le conferenze del professore Marini sono molto interessanti.

....

5. Ho visto un film – l'attrice protagonista di questo film è molto brava, ma non è conosciuta.

....

6. Leggo un romanzo – le autrici del romanzo sono francesi.

....

7. Ho rivisto un vecchio film – il titolo del vecchio film è *Poveri ma belli*.

....

8. Leggo spesso un blog – i post sono molto interessanti.

....

11. Completa le mail con i pronomi relativi.

Ciao Carla,

alla fine hai aperto quel conto in banca (1)........................ mi avevi parlato?

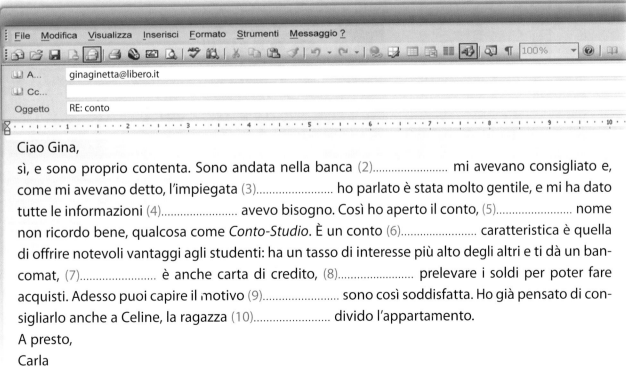

Ciao Gina,

sì, e sono proprio contenta. Sono andata nella banca (2)........................ mi avevano consigliato e, come mi avevano detto, l'impiegata (3)........................ ho parlato è stata molto gentile, e mi ha dato tutte le informazioni (4)........................ avevo bisogno. Così ho aperto il conto, (5)........................ nome non ricordo bene, qualcosa come *Conto-Studio*. È un conto (6)........................ caratteristica è quella di offrire notevoli vantaggi agli studenti: ha un tasso di interesse più alto degli altri e ti dà un bancomat, (7)........................ è anche carta di credito, (8)........................ prelevare i soldi per poter fare acquisti. Adesso puoi capire il motivo (9)........................ sono così soddisfatta. Ho già pensato di consigliarlo anche a Celine, la ragazza (10)........................ divido l'appartamento.

A presto,

Carla

12. Che o chi? Completa i seguenti proverbi.

1. Non svegliare il can .... dorme.
2. .... dorme non piglia pesci.
3. .... fa da sé fa per tre.
4. .... lascia la vecchia via per quella nuova, sa quello .... lascia, ma non sa quello .... trova.
5. .... trova un amico trova un tesoro.
6. Natale con i tuoi, Pasqua con .... vuoi.

13. Completa le frasi scegliendo l'espressione adeguata.

> tutti coloro che - chi - coloro che - il che - quelli che - quello che

1. Ricordati sempre di .... ti hanno aiutato!
2. Non sono d'accordo con .... dici, io ho un'altra opinione.
3. Brunella sa il fatto suo, oltre ad essere simpatica, è anche molto brava e intelligente, ... fa di lei un bravo avvocato!
4. Oggi al supermercato fanno lo sconto del 10% a .... faranno la spesa prima di mezzogiorno.
5. Beato .... ha vinto il primo premio! È stato proprio fortunato.
6. Molti amici, di .... ho invitato, mi hanno detto che non possono venire.

14. Osserva le vignette e completa le frasi che seguono con le espressioni stare + gerundio o stare per + infinito.

1. (Fare) .... la doccia, per questo non ho sentito il telefono.

2. Tiziano devi scendere, il treno (partire) ....

3. Perché hai quella faccia, Stefania? A cosa (pensare) ....?

4. • Pronto, Roberto, sei arrivato a casa?

   • Ah, ciao Franco, ti (telefonare) .... io. Il tassì mi ha appena lasciato sul portone.

5. • Giulia, cosa fai? Usciamo?

   • No, grazie! (Guardare) .... un film e voglio vedere come va a finire.

6. Ero certo che (finire) ...., per questo ho deciso di aspettarti fuori dall'ufficio. Non credevo di dover stare qui per più di un'ora.

15. Completa gli spazi in rosso con i pronomi relativi e gli spazi in blu con un pronome combinato.

1. Il libro, (a lei - il libro) .... ho dato a quella ragazza .... parlavo ieri.

2. Questa storia, (a me - la storia) .... ha raccontata Laura, una ragazza .... ho piena fiducia.

3. Luca, (a noi - i quadri) .... mostri i tuoi quadri .... saranno esposti alla Galleria d'Arte Moderna?

4. (A te - la ragione) .... ho detta la ragione .... non voglio più restare qui.

5. Ragazzi, (a voi - il dizionario) .... presto io il dizionario .... avete bisogno.

16. Completa con le preposizioni.

1. Gli italiani, generalmente, vanno .... vacanza .... agosto.

2. .... il suo compleanno regalerò .... mia figlia un anello .... oro.

3. È .... un anno che studio l'italiano e ora ho iniziato anche .... leggere libri.

4. Mi sono sposata .... 18 anni e ho due figlie, una .... 15 e un'altra .... 19 anni.

5. Quello che ti ho detto deve assolutamente rimanere .... noi, mi devi promettere che non dirai niente .... nessuno!

6. Non ti preoccupare, sarò sotto casa tua prima .... otto, ma se per caso farò tardi, aspettami .... fermata .... 15.

7. Sono rimasto .... ufficio tutta la giornata e adesso non vedo l'ora .... tornare .... casa.

8. Credi di più .... me o .... quello che dicono i tuoi amici?

17. Scegli la soluzione corretta fra le quattro proposte.

1. Non ho capito bene cosa ha detto .... c'era molto rumore.

   ☐ perciò   ☐ quando   ☐ siccome   ☐ perché

2. .... pioveva, sono rimasto a casa e ho visto un film.

   ☐ così   ☐ perché   ☐ finché   ☐ siccome

3. Non avevo studiato molto, ... ho preferito non dare l'esame.

   ☐ oppure   ☐ ma   ☐ perciò   ☐ nonostante

4. Vorrei sapere .... trova il tempo di fare tutto!

   ☐ ma   ☐ allora   ☐ o   ☐ dove

5. Ha sempre avuto tutto dalla vita, ... non è mai contento.

   ☐ oppure   ☐ però   ☐ perché   ☐ finché

6. .... è già tardi e tutti iniziamo ad avere fame, io direi di andare a mangiare qualcosa al bar.

   ☐ quindi   ☐ poiché   ☐ perché   ☐ così

18. Collega i verbi della prima colonna alle espressioni della seconda colonna.

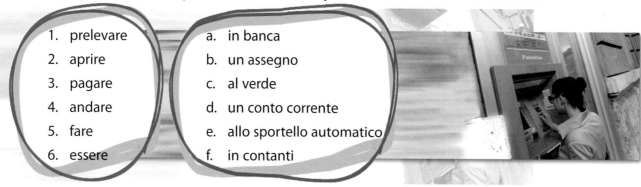

1. prelevare   a. in banca
2. aprire   b. un assegno
3. pagare   c. al verde
4. andare   d. un conto corrente
5. fare   e. allo sportello automatico
6. essere   f. in contanti

19. Federico Blasi ha inviato una mail alla *Starcom Italia*, un'azienda di telecomunicazioni che cerca un nuovo direttore del personale. Leggi e completa la mail, scegliendo la soluzione corretta fra le tre proposte.

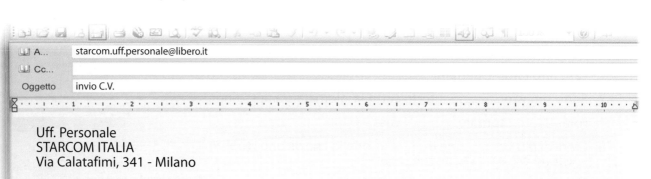

A... starcom.uff.personale@libero.it
Cc...
Oggetto invio C.V.

Uff. Personale
STARCOM ITALIA
Via Calatafimi, 341 - Milano

Milano, 12 settembre

In riferimento al vostro annuncio apparso sul sito web *cerco-lavoro.com* il 9 settembre scorso, invio alla vostra cortese (1)........................ il mio C.V.

Come potrete vedere, sono in possesso delle competenze e dei requisiti da Voi (2)........................: mi sono laureato in Economia e Commercio a pieni voti, presso la Normale di Pisa, e ho conseguito il master (3)........................ Organizzazione aziendale, presso l'Università Bocconi di Milano. Ho (4)........................ circa un anno alla Princeton University, negli Stati Uniti. Questa importante esperienza mi ha dato anche l'opportunità di perfezionare la mia (5)........................ dell'inglese. Ho inoltre delle ottime conoscenze (6)........................

Anche se non ho una grande esperienza (7)........................, il mio primo lavoro l'ho avuto due anni fa, come Responsabile del personale, (8)........................ la Interdata di Milano, un'azienda che si occupa (9)........................ trasporti e dove lavoro ancora oggi a tempo pieno. Ho deciso di rispondere al Vostro annuncio, perché il mio desiderio sarebbe quello di ricoprire un posto di responsabilità in un'azienda (10)........................ e di grandi dimensioni come la Starcom Italia, (11)........................ poter dimostrare la mia preparazione e metterla a Vostra disposizione.

(12)........................ saluti.

Federico Blasi
Via G. Bruno, 156 - Milano

1. a. attenzione
   b. fiducia
   c. curiosità

2. a. domandati
   b. voluti
   c. richiesti

3. a. con
   b. per
   c. in

4. a. trascorso
   b. letto
   c. collaborato

5. a. cultura
   b. conversazione
   c. conoscenza

6. a. informative
   b. informatiche
   c. informali

7. a. professionista
   b. universitaria
   c. lavorativa

8. a. presso
   b. in
   c. da

9. a. da
   b. con
   c. di

10. a. sconosciuta
    b. importante
    c. locale

11. a. tra cui
    b. per cui
    c. in cui

12. a. Buoni
    b. Cordiali
    c. Gentili

CD 1
10

20. Leggi le affermazioni che seguono e dopo ascolta l'intervista a un impiegato di banca. Indica le cinque informazioni presenti.

1. La persona intervistata darà informazioni su come aprire un conto.
2. Il sito web della banca fornisce informazioni in quattro lingue.
3. Prima di firmare un contratto è sempre bene leggere le condizioni.
4. La banca offre molti servizi di diverso genere.
5. Tra i servizi ci sono i finanziamenti per l'acquisto di una casa.
6. I clienti non amano molto usare i servizi online della banca.
7. Esistono carte di credito prepagate.
8. La banca offre servizi specifici per studenti stranieri.

Test finale

A Completa il testo con i pronomi relativi.

Mauro e i "mammoni" italiani

Questa è la storia di Mauro, un ragazzo (1)......................... cerca un lavoro sicuro da anni, come molti altri giovani italiani della sua età. Mauro ha 34 anni, (2)......................... 10 li ha passati a fare lavori precari, cioè non stabili, e senza contratto. Naturalmente, il lavoro (3)......................... lui preferirebbe fare è l'architetto, professione (4)......................... ha studiato molto, ma purtroppo è un campo (5)......................... è difficile entrare, soprattutto per (6)........................., come Mauro, è ancora considerato "giovane". Un altro problema dell'Italia, infatti, è che sono considerati "giovani" tutti (7)......................... hanno fino a 30-35 anni e sono molti i 35enni (8)......................... vivono ancora con i genitori, condizione (9)......................... si trovano spesso proprio per la mancanza di un lavoro fisso e la possibilità di pagare l'affitto. È per questo che in Europa gli italiani sono famosi per essere "mammoni", cioè ragazzi (10)......................... vivono ancora sotto la "protezione" della mamma.

B Completa le frasi con i relativi nel riquadro.

> la quale - il che - quello che - coloro che - chi - in cui

1. Giulia non dice mai .... pensa.
2. Chi cerca, trova. .... è quasi sempre vero.
3. .... fa per sé, fa per tre.
4. .... hanno deciso di dare l'esame devono iscriversi in segreteria.
5. La banca .... sono andato è in centro.
6. Mamma, c'è al telefono la zia di Sandro, ... aveva telefonato anche ieri.

C Scegli l'alternativa corretta.

1. ● Ho comprato un vestito nuovo (1)......................... desideravo da tempo.

   ● Non capisco il motivo (2)......................... continui a spendere metà del tuo stipendio in vestiti.

   (1) a) la quale   (2) a) per cui

       b) cui   b) su cui

       c) che   c) che

2. ● "(1)......................... dorme non piglia pesci", lo sai?!

   ● Sì, ma la cosa (2)......................... ho più bisogno adesso è dormire!

   (1) a) Chi   (2) a) con cui

       b) Colui   b) il che

       c) Su cui   c) di cui

3. "Gianni si è comportato male con me: (1)........................ non mi sembra giusto", diceva Mario a
(2)........................ gli chiedevano spiegazioni sul suo comportamento.

(1) a) il che　　　　　　　　　　　　(2) a) chi
　　b) il cui　　　　　　　　　　　　　　b) tutti coloro che
　　c) di cui　　　　　　　　　　　　　　c) i cui

4. (1)........................ signor Carletti.
(2) Le porgiamo .... saluti.

(1) a) Egregio　　　　　　　　　　　　(2) a) cordialmente
　　b) Spettabile　　　　　　　　　　　　b) cordiali
　　c) Cordiale　　　　　　　　　　　　　c) tanti

5. La (1)........................ è la più grande industria di automobili italiana e la sua sede centrale è a
(2).........................

(1) a) Generali　　　　　　　　　　　　(2) a) Maranello
　　b) Fiat　　　　　　　　　　　　　　　b) Milano
　　c) Telecom Italia　　　　　　　　　　c) Torino

6. Il (1)........................ di questa lettera è il (2)........................ del personale.

(1) a) destinatario　　　　　　　　　　(2) a) regista
　　b) destinato　　　　　　　　　　　　b) conduttore
　　c) saluto　　　　　　　　　　　　　　c) direttore

D   Risolvi il cruciverba.

ORIZZONTALI

1. Lavora nella cucina di un ristorante.
4. - In bocca al ...! - Crepi!
6. In chiusura di una mail formale, scriviamo: ... saluti.
7. Chi trova un amico, trova un ...

VERTICALI

1. Stefano paga sempre con la carta di ...
2. Valentina, come è andato il ... di lavoro che avevi ieri?
3. Quando cerchiamo lavoro, inviamo il nostro ... vitae.
5. Donna che insegna ai bambini della scuola elementare.

Risposte giuste ..../36

Attività Video – episodio *Lorenzo cerca lavoro*

Per cominciare...

1 Guarda i primi 35 secondi dell'episodio senza l'audio. Che cosa succede, secondo te? Puoi descrivere la situazione utilizzando soltanto tre delle seguenti parole, che abbiamo visto anche a pagina 23 del *Libro dello studente*.

contanti   assegno   carta di credito   sportello bancomat   prelevare

2 Ora guarda da 0'35'' fino a 2'02'' con l'audio. Cosa pensi succederà in seguito? Lorenzo troverà il lavoro che cerca? In coppia, formulate due ipotesi (una negativa e l'altra positiva), motivandole.

Guardiamo

1 Ora guarda interamente l'episodio e verifica le ipotesi fatte in precedenza.

2 Metti in ordine cronologico le immagini.

Facciamo il punto

1 Fai un breve riassunto dell'episodio, oralmente o per iscritto (max. 60 parole).

2 Cosa significano le espressioni evidenziate? Scegli l'opzione giusta tra quelle date.

Significa:

a. se

b. del resto

c. però

Significa:

a. Chi è bravo otterrà ciò che merita.

b. Chi è duro vince ogni ostacolo.

c. Chi insiste ottiene ciò che vuole.

1. **Completa le seguenti frasi con la forma giusta di farcela o andarsene.**

1. Mamma, papà... finalmente ....: ho avuto quel posto di lavoro!
2. Se non ...., ti posso dare una mano.
3. Perché ieri sera Claudia .... senza salutare nessuno?
4. L'esame non è così difficile, sono sicuro che puoi ....!
5. Verremo sicuramente, ma .... presto.
6. Se quei ragazzi non .... subito, chiamo la polizia!

2. **Osserva le immagini e indica la frase corretta.**

1.   a. Italo è più veloce dell'Espresso.
        b. Italo è meno veloce dell'Espresso.
        c. Italo è veloce come l'Espresso.

2.   a. Roma è più caotica di Napoli.
        b. Roma è caotica come Napoli.
        c. Roma è meno caotica di Napoli.

3.   a. La gonna è cara quanto la maglietta.
        b. La gonna è meno cara della maglietta.
        c. La gonna è più cara della maglietta.

4.   a. Francesca è più allegra di Marta.
        b. Francesca è allegra come Marta.
        c. Francesca è meno allegra di Marta.

5.   a. Gabriella è più grande di Fabrizio.
        b. Gabriella è grande come Fabrizio.
        c. Gabriella è meno grande di Fabrizio.

6.   a. Il cavallo è più pesante del cane.
        b. Il cavallo è pesante come il cane.
        c. Il cavallo è meno pesante del cane.

3. Formula delle frasi secondo il modello.

Stefano - alto - Giorgio

(+) Stefano è più alto di Giorgio.
(=) Stefano è (tanto) alto quanto Giorgio.
(−) Stefano è meno alto di Giorgio.

1. Questo quadro - bello - quello

(=) ....
(+) ....

2. L'italiano - difficile - tedesco

(+) ....
(−) ....

3. Flavia - simpatica - Monica

(=) ....
(−) ....

4. Giovanni - grande - Angelo

(−) ....
(+) ....

5. Milano - frenetica - Roma

(+) ....
(=) ....

6. Quando giocano a carte,
Pierluigi - fortunato - Aldo

(−) ....
(=) ....

4. Osserva le immagini e scrivi delle frasi usando i comparativi e gli aggettivi indicati (gli aggettivi sono a coppie di contrari).

❶ Chiara / Mario
❷ Maria / Raffaele
❸ Torino / Agrigento
❹ signor Sella / signor Perti
❺ fontana di Trevi / fontana della Barcaccia
❻ bicicletta / Vespa

1. alto: ....

   basso: ....

2. simpatica: ....

   antipatica: ....

3. fredda: ....

   calda: ....

4. ricco: ....

   povero: ....

5. piccola: ....

   grande: ....

6. veloce: ....

   lenta: ....

5. Formula delle comparazioni con gli aggettivi o i verbi dati.

| costosa | piccola | prezioso | chiacchierano | puliti | legge |

1. Roma – Siena

   Roma ....

2. Fiat – Ferrari

   Una Fiat ....

3. Alice (19 libri) – Marcello (13 libri)

   Alice ....

4. cani – gatti

   I cani ....

5. oro – argento

   L'oro ....

6. italiani – giapponesi

   Gli italiani ....

8.000 euro

165.000 euro

6. Completa i mini dialoghi con le forme di comparazione.

1. • Secondo me, domenica vincerà l'Inter!

   • Non è vero: quest'anno la Roma è .... forte .... Inter.

   • Secondo me, la Roma è .... fortunata .... forte.

2. • Patrizia è veramente una ragazza timida!

   • È vero, ma dovresti conoscere la sorella: è ancora .... timida .... lei.

   • Sì, l'ho conosciuta, ma .... timida mi sembra un po' riservata.

3. • L'aereo sarà anche .... veloce .... treno, ma io ho paura.

   • Allora usa la macchina!

   • No, perché è .... cara .... treno.

4. • Come va il tuo negozio di scarpe? Avete venduto molto?

   • Sì, quest'anno abbiamo venduto molte .... scarpe .... anno scorso. In particolare vendiamo .... scarpe da donna .... da uomo.

5. • Giacomo è un ragazzo in gamba!

   • Secondo me, suo fratello Riccardo è .... intelligente .... Giacomo.

   • No, per me è .... furbo .... intelligente.

6. • Hai visto la nuova casa di Remo? È molto bella.

   • Mah, ... bella è molto caratteristica: ha uno stile particolare.

7. Completa le frasi secondo il modello.

> Scrivi molte e-mail ai tuoi amici?
> Mi piace più telefonare che scrivere.

1. Rita preferisce leggere o guardare la televisione?

   Rita lavora tanto, perciò la sera ha voglia .... di guardare la televisione .... di leggere.

2. Dove fa più freddo, al Sud o al Nord?

   Al Sud fa .... freddo .... al Nord.

3. Bevi più caffè o tè?

   Quando lavoro, bevo .... caffè .... tè.

4. Oggi è facile trovare un lavoro?

   Veramente, oggi è .... difficile trovare un buon lavoro .... in passato.

5. Perché non vai mai a teatro?

   .... andare a teatro, amo andare al cinema.

6. Anche da voi in estate non deve essere piacevole rimanere in città.

   Certo in estate andare al mare è sicuramente .... piacevole .... restare in città.

8. Rispondi liberamente alle domande.

1. Quando entri in un bar per fare colazione, prendi più spesso un caffè o un cappuccino?

   Io ....

2. Ti piacciono di più le vacanze al mare o in montagna?

   Mi piacciono ....

3. Per te è più bella la campagna o la città?

   Secondo me, ...

4. La tua città è più vivace o più caotica?

   Per me ....

5. Preferisci viaggiare in treno o in aereo?

   Più che...

6. Mangi più verdura o più carne?

   Io mangio ....

9. Trasforma le frasi secondo il modello.

Delle scarpe belle - comode.
Delle scarpe tanto belle quanto comode.
Delle scarpe più belle che comode.

1. Un ragazzo furbo - presuntuoso.

   Un ragazzo ....

   Un ragazzo ....

2. Un film interessante - divertente.

   Un film ....

   Un film ....

3. Un viaggio piacevole - stancante.

   Un viaggio ....

   Un viaggio ....

4. Una città moderna - sicura.

   Una città ....

   Una città ....

5. Una moto veloce - rumorosa.

   Una moto ....

   Una moto ....

6. Un gita divertente - faticosa

   Una gita ....

   Una gita ....

10. Metti in ordine le frasi.

1. In Italia, / in periferia. / più / gli appartamenti / che / sono / cari / in centro

   ....

2. A Stefano / che / il Sud / più / piace / il Nord Italia.

   ....

3. Quest'ultimo / del / libro / Umberto Eco / precedente. / è / più / bello / di

   ....

Torino, Piemonte

4. A me / la chitarra / cantare. / più / piace / suonare / che

....

5. Maria Teresa / italiana / torinese. / si sente / che / più

....

6. In estate, / e fare il bagno / più / ai ragazzi / piace / andare / andare / al mare / in montagna. / che

....

11. Osserva la tabella e scrivi delle frasi, secondo il modello.

	Lavoro (occupazione giovani 25-34 anni)	Numero di laureati (giovani 25-30 anni)	Numero spettacoli per 1000 abitanti	Bar e ristoranti per 100mila abitanti	Temperatura minima in inverno
Firenze	79,90%	7%	8.423	442,20	1°
Milano	81,80%	5,3%	5.312,8	338,25	-2°
Napoli	41,30%	4,1%	3.126,9	339,68	4°
Roma	71,80%	8,2%	7.013,5	507,60	3°
Venezia	77,50%	6,2%	7.705,5	575,38	-1°

Adattata da *www.ilsole24ore.com*

(Roma-Napoli; temperatura bassa)

La temperatura è più bassa a Roma che a Napoli.

oppure

A Roma la temperatura è più bassa che a Napoli.

1. (Milano - Venezia; lavoro)

....

2. (Roma - Firenze; numero dei laureati alto)

....

3. (Firenze - Milano; spettacoli)

....

4. (Milano - Roma; bar)

....

5. (Napoli - Firenze; giovani laureati)

....

6. (Venezia - Napoli; freddo)

....

12. Completa secondo il modello.

Carlo/simpatico/miei amici.
Carlo è il più simpatico dei miei amici.

1. Questa qui/importante trasmissione/RAI.
   Questa qui è ....

2. Quest'esame di Fisica/difficile/ anno accademico.
   Quest'esame di Fisica è ....

3. Febbraio/mese/corto/anno.
   Febbraio è ....

4. Questa/estate/calda/ultimi vent'anni.
   Quest'estate è ....

5. La Sicilia/isola/grande/Italia.
   La Sicilia è ....

6. Marta/piccola/mie figlie.
   Marta è ....

7. Milano/città/frenetica/Nord Italia.
   Secondo me, Milano è ....

8. La Scala/teatro/famoso/mondo
   La Scala è ....

13. Completa il testo con il superlativo relativo.

Cosa consumano gli italiani durante le fermate agli Autogrill in autostrada.

Bastano pochi minuti all'Autogrill dell'autostrada per capire cosa preferiscono gli italiani: (1)......................... panino .... amato dagli italiani è la "Rustichella". Dopo la rustichella, anche un caffè, un libro o anche un cd. Sono questi (2)......................... prodotti .... comprati in autostrada quando, in partenza per le vacanze di agosto, gli automobilisti si fermano in uno dei punti vendita della rete Autogrill.

(3)......................... prodotto .... richiesto è il caffè con circa 9,6 milioni di tazzine. Seguono in classifica i panini: (4)......................... mangiato è la "Rustichella".

Nel mese di agosto, poi, gli italiani comprano più di duecentomila copie di libri (tra (5)......................... autori .... ricercati ci sono Andrea Camilleri e Carlo Lucarelli) e centosessantamila cd ((6)......................... cantanti .... amati: Vasco Rossi e Shakira, ma anche Radio 105 e Gigi D'Alessio).

Adattato da *www.corriere.it*

14. Completa queste opinioni su alcuni alberghi con il superlativo assoluto delle parole nel riquadro.

| bello | buono | caro | centrale | male | molto | piccolo | tranquillo |

ALBERGO REALE

L'hotel, per quello che offre, è (1)......................... È lontano dalla spiaggia, le camere sono (2).................. .... e al ristorante è meglio non andarci. Noi ci siamo trovati (3).............. ....

HOTEL ACQUA E SOLE

L'hotel è (4)......................... C'è anche la doccia con idromassaggio e la sauna a qualsiasi ora del giorno. Il cibo è (5)..........................

ALBERGO IL DUOMO

Hotel (6)........................., si trova esattamente in Piazza Duomo. È moderno e offre (7)..................... .... servizi. Unico difetto, proprio per la sua posizione: non è (8).......... ....

15. Forma delle frasi con il superlativo assoluto e il superlativo relativo, secondo il modello.

Carlo / timido / classe.
Carlo è *timidissimo*, ma non è *il più* timido *della* classe.

1. Quadro / prezioso / museo.   ....
2. Camera / grande / albergo.   ....
3. Esercizio di matematica / difficile / libro. ....
4. Vino / buono / ristorante.   ....
5. Hotel / caro / zona.   ....
6. Studente / bravo / scuola.   ....

16. In base alle informazioni date, scrivi due frasi scegliendo tra le forme di comparazione (maggioranza, minoranza, uguaglianza) e una frase scegliendo tra il superlativo relativo e il superlativo assoluto.

1. Monti - alto

| Monte Cervino: m. 4.478 | Monte Rosa: m. 4.634 | Monte Everest: m. 8.848 |

....

....

2. Città - abitanti

    | Roma: 2.750.000 | Napoli: 960.000 | Tokyo: 13.000.000 |

    ....

    ....

3. Università - antico

    | Università di Bologna: 1088 | Università di Parigi: 1150 | Università di Oxford: 1096 |

    ....

    ....

4. Fiumi - lungo

    | Nilo: 6.671 Km | Gange: 2.700 Km | Po: 652 Km |

    ....

    ....

5. Animali - grande

    | elefante | cavallo | cane |

    ....

    ....

6. Mezzi di trasporto - veloce

    | automobile | bicicletta | aereo |

    ....

    ....

17. Completa con i superlativi irregolari dati.

massima • massimo • ottima • pessimo • pessima • minima

1. A tennis, hai perso la partita perché non hai dato il ....

2. Non sono contento per niente; abbiamo pagato tanto e il servizio era ....

3. Questo è un caso che richiede la .... attenzione!

4. Il mio appartamento è vicino, da qui all'università la distanza è
    ....

5. Non dovresti rinunciare a questo lavoro, è davvero un'................
    .... occasione per te!

6. Direi che siamo riusciti a ottenere il meglio da una situazione
    ....

18. Completa le frasi con i comparativi irregolari dei seguenti aggettivi. Attenzione: gli aggettivi non sono in ordine.

> alto • basso • buono • cattivo • grande • piccolo

1. Quest'anno abbiamo avuto un inverno caldo; infatti la temperatura è stata .... agli altri anni.

2. Io al posto tuo, comprerei questa camicia, l'altra costa meno ma è di qualità ....

3. Questo è Carlo, mio fratello ....: ha 2 anni più di me.

4. Lei è Sara, mia sorella ...., la piccola di casa, ha compiuto ieri 6 anni.

5. La nostra casa ha tre piani: io abito all'ultimo, al piano ....
   .... i miei genitori e al primo ci abita mia sorella.

6. - Ragazzi è buona questa pizza? - Sì, ma quella che abbiamo mangiato a Napoli era ....

19. Completa con le preposizioni semplici o articolate negli spazi in nero e con i termini dati negli spazi in blu.

> servizi - camera - prenotazione - alloggio - meta - pernottare

Quando io e Carlo abbiamo deciso (1)............................ fare un viaggio, abbiamo scelto come (2)............................ la città di Siena. Abbiamo cercato un bed and breakfast perché avevamo (3)............................ noi Ercole, il nostro cane, e perché non avevamo bisogno di particolari (4)............................. Tuttavia, la nostra esperienza (5).......... .... Villa Fiore è stata un vero e proprio incubo. Io e il mio ragazzo avevamo chiamato per prenotare una (6)............................ per una notte e la nostra prenotazione ci è stata confermata senza problemi.

Quando però siamo arrivati (7)............................ bed and breakfast, in modo scortese ci hanno detto che la nostra prenotazione non c'era e che l'unica soluzione era quella di (8)................................ in un locale vicino (9)............................ giardino. (10)................................, che si è poi rivelato non adatto ad ospitare persone, era infatti sporco, umido e pieno di animaletti.

Cari proprietari, non si affittano stanze se queste non sono più disponibili e non si prendono in giro i clienti! Inoltre, al momento della (11)................................ telefonica, ci è stato detto che la colazione era inclusa (12)............................ prezzo, ma quando siamo arrivati, invece, in tono sempre poco carino, ci hanno detto che la colazione avremmo potuto farla al bar di fronte (13)............................ bed and breakfast. Quello che ci dispiace è che questa brutta esperienza sarà sempre associata (14)............................ ricordo di una città da me considerata meravigliosa e (15)................................ atteggiamento di alcune persone poco oneste che ci abitano.

20. Collega le frasi in modo corretto.

1. Vorrei prenotare	a. ci sono problemi?
2. Può dirmi, per favore,	b. per non fumatori.
3. La camera ha	c. un letto extra per il bambino?
4. Ho un piccolo cane,	d. una camera matrimoniale.
5. Vorrei due camere	e. il prezzo per due notti?
6. È possibile aggiungere	f. il minibar?

CD 1

14

21. Ascolta l'intervista al proprietario di un albergo e completa con le parole mancanti (massimo quattro).

1. Decisamente il periodo estivo...; ci sono poi clienti .... che vengono nella nostra città praticamente tutto l'anno.

2. Negli ultimi anni abbiamo avuto ...., sì.

3. Tra l'altro sono molto molto contento dei miei collaboratori, ..., molto professionali.

4. Inoltre, abbiamo .... privato, e poi abbiamo ovviamente le biciclette a disposizione...

5. ... la cucina... permette un po' di gustare .... della nostra regione.

6. ...sia a pranzo che a cena tutti i giorni c'è menù a scelta ...., buffet con verdure fresche.

Test finale

A   Alcune di queste frasi sono sbagliate: riscrivile correttamente.

1. Per me è più importante parlare di scrivere in una lingua straniera.

   ....

2. Giorgio è il più alto tra la sua classe.

   ....

3. Giovanna è una ragazza tanto bella quanto simpatica.

   ....

4. Una villa è la più costosa di un semplice appartamento.

   ....

5. La mia casa è la più nuova della tua.

   ....

6. Scusami, ma non ho potuto trovare una sistemazione migliore.

   ....

B a) **Leggi la brochure e completala con i nomi dei luoghi o dei monumenti che ti diamo qui alla rinfusa (San Pietro - Asinelli - Vesuvio - Colosseo - Maggiore).**

AGENZIA EASYTOUR DI FIRENZE
OFFERTE PER LE VACANZE DI PASQUA:
prenotate all'ultimo minuto!

1. Roma - Napoli in pullman (4 GIORNI, 3 NOTTI)
Partenza: da Firenze

Primo giorno
Roma antica: il Foro romano e il (1)..........................; le catacombe sulla Via Appia.

Secondo giorno
Le Piazze di Roma: Piazza di Spagna, la Fontana di Trevi, Piazza Navona, il Campidoglio.
Pomeriggio: Piazza (2).......................... e il Vaticano.

Terzo giorno
I monumenti di Napoli: Teatro San Carlo, il Maschio Angioino, il centro storico.

Quarto giorno
Dintorni di Napoli: gita sul vulcano (3).........................., Pompei ed Ercolano.
A partire da 400 € a persona.

2. Una domenica tra i sapori e i colori di Bologna

Mattina - I colori
Il centro storico di Bologna, la Torre della Garisenda e degli (4).......................... La cattedrale di S. Petronio, Piazza (5).......................... e Piazza del Nettuno.

Pomeriggio - I sapori
Assaggi di formaggi, salumi e degustazione dei migliori vini.
50 € a persona.

3. Palermo, capitale del Mediterraneo (2 GIORNI, 2 NOTTI) - Volo da Milano o Roma

Primo giorno
La Palermo araba e normanna: il centro storico, la chiesa di S. Giovanni degli Eremiti, la Torre Pisana.

Secondo giorno
La Palermo barocca: le chiese e i palazzi del centro. Visita di Monreale.
320 € a persona.

b) Scegli la risposta corretta.

1. Mi interessano le offerte dell'agenzia *Easytour* se voglio organizzare:

a) la vacanza almeno tre mesi prima

b) delle vacanze per l'ultimo dell'anno

c) la vacanza all'ultimo momento

2. Se mi interessa la gastronomia, scelgo la gita:

a) a Roma

b) a Bologna

c) a Palermo

3. Se ho paura dell'aereo, non scelgo sicuramente la vacanza:

a) a Roma

b) a Bologna

c) a Palermo

C Scegli l'alternativa corretta.

1. Per il nostro giardino, la pioggia è (1).......................... utile (2).......................... sole.

(1) a) quanto
    b) come
    c) tanto

(2) a) così il
    b) quanto il
    c) del

2. Tutti dicono che Laura è una ragazza (1)........................., ma secondo me è più dolce (2)......................... simpatica.

   (1) a) più simpatica
       b) simpaticissima
       c) più simpaticissima

   (2) a) di
       b) della
       c) che

3. Io ho un debito (1)......................... del tuo, ma pago un tasso d'interesse (2).........................

   (1) a) più maggiore
       b) maggiore
       c) il più grande

   (2) a) più basso
       b) più inferiore
       c) più pessimo

4. Sono certo che (1)........................., sarai (2).........................!

   (1) a) te la farai
       b) ce la farai
       c) ce ne farai

   (2) a) il migliore
       b) il meglio
       c) il bravo

5. Carmelo Conti, un pizzaiolo italiano, molti anni fa (1)......................... a lavorare in America. Ora è diventato famoso perché ha fatto una pizza di 250 m^2, (2)......................... mondo.

   (1) a) se ne andava
       b) se ne è andata
       c) se ne è andato

   (2) a) la superiore del
       b) la massima del
       c) la più grande del

Risposte giuste (........ /24)

45

Attività Video - episodio *Finalmente a Roma!*

Per cominciare...

Osserva alcune scene tratte dall'episodio e in coppia cercate di metterle in ordine. Puoi prevedere cosa succede in questo episodio? In coppia, fate due ipotesi.

Guardiamo

1 Guarda l'episodio e verifica le ipotesi fatte.

2 Di seguito trovi i simboli di alcuni servizi alberghieri riportati anche a pagina 45 del *Libro dello studente*. Di quali si parla durante l'episodio?

Facciamo il punto

Leggi le battute e trova le parole evidenziate che hanno lo stesso significato di quelle date.

esattamente   problema   iniziamo   nel frattempo

1 Comunque, godiamoci Roma! Allora, da dove cominciamo?

2 Ce n'è uno che porta proprio in Piazza Venezia.

3 Senta, possiamo almeno lasciare i bagagli qui e andare a fare un giro intanto?

4 Arrivederci e scusate per l'inconveniente.

1° test di ricapitolazione (unità 1, 2 e 3)

A Rispondi alle seguenti domande.

1. ● Hai portato i libri a Maria?

    ● Sì, ... due giorni fa.

2. ● Quando vi hanno consegnato la macchina?

    ● Non .... ancora.

3. ● C'è una birra?

    ● Nel frigo .... deve essere una ghiacciata, proprio come piace a te.

4. ● Quando ci farai sapere se verrai anche tu a Pisa?

    ● .... farò sapere entro domani.

5. ● Ti è piaciuta la torta?

    ● Sì, puoi dar.............................. un altro pezzo?

6. ● Professore, nei nostri compiti ci sono molti errori?

    ● Beh, ... abbastanza, ma pazienza: sbagliando, s'impara.

    .... /6

B Completa con gli interrogativi adatti.

1. .... farai adesso che tua moglie è partita?

2. .... volte devo dirtelo? Non voglio parlare più con lui!

3. Fra questi vestiti .... ti sembra più alla moda?

4. .... soldi hai con te?

5. A .... punto siete?

6. Per .... motivo mi cercavi?

    .... /6

C Completa con i pronomi adatti e la desinenza del participio passato quando necessario.

1. ● Scusa, ... dai la penna (a me)?

    ● Sì, ... do subito.

2. ● Se vedi Filippo puoi dir................ di telefonar................ (a me)?

    ● Sì, ... dico sicuramente.

3. ● Ragazzi, siamo senza soldi, ... prestate 20 euro?

    ● D'accordo, ... prestiamo!

4. ● Ho telefonato a Giorgio, ma non .... ho detto la verità.

    ● E perché non .... hai dett..........?

    ● Perché non ce l'ho fatta!

47

5. ● Anna, hai visto Tommaso? Doveva darti un pacco.

   ● Sì, ... ha dat..........

6. ● Hai sentito? Nicoletta e Paolo hanno divorziato!

   ● Chi .... ha dett..........?

   ● .... ha dett.......... Sonia, la sorella di Paolo.

.... /16

D   Completa con la forma giusta dei verbi tra parentesi.

1. Gli ospiti (andarsene) .... molto soddisfatti.

2. Se troviamo un taxi forse (farcela) .... a prendere il treno.

3. Per favore, (andarsene) .... tutti! Voglio rimanere da solo.

4. Ragazzi, se volete potete (andarsene) ....

5. Sì, mia figlia ora lavora: (farcela) .... a vincere il concorso!

6. Teresa è andata via di casa perché non (farcela) .... più a vivere con i suoi.

.... /6

E   Completa con i pronomi relativi.

1. Questa è la persona .... ti ho parlato tante volte.

2. - Chi sono Anna e Serena? - Sono le ragazze .... ho conosciuto in Italia.

3. Questa è la casa .... ho abitato da bambino.

4. Non capisco il motivo .... non sei andato a lavorare.

5. Quello è il ragazzo .... è innamorata mia sorella.

6. Non sono molte le persone .... mi fido.

.... /6

F   Comparativo o superlativo? Completa le seguenti frasi.

1. Maria è bella, ma, secondo me .... bella è simpatica.

2. Paolo è molto intelligente; infatti, è il .... intelligente .... sua classe.

3. Questo mese ho speso mille euro, il mese scorso ne avevo spesi 800: questo mese ho speso .... quello passato.

4. Quest'anno la nostra ditta non è andata molto bene perché i guadagni sono stati .... all'anno precedente.

5. Francesco è veramente un bel ragazzo, ma che dico, è ....

6. Non mi sono divertito per niente e sono stato male per diversi giorni: ho passato le .... vacanze della mia vita.

7. Nessuno può dire che una cultura è .... a un'altra.

8. Non c'è differenza, per me il caffè è buono .... il tè.

.... /8

Risposte giuste .... /48

1. Completa con i verbi del riquadro.

> andarono - credette - arrivai - accompagnammo - partisti - ci divertimmo

1. Quando .... a Roma era già notte e, dopo quel lungo viaggio, ero stanchissimo.

2. Noi .... Roberto alla stazione.

3. Quell'anno Tonino e suo fratello ....
.... in vacanza in Sardegna.

4. Ricordo ancora quella volta che tu ....
.... senza dire niente a nessuno.

5. Luisa .... a tutto quello che le
avevano raccontato.

Roma, Piazza della Repubblica

6. A quella festa, a cui ci aveva invitati Piero, ... moltissimo.

2. Scegli la forma verbale corretta.

1. Silvia cominciò/cominciaste/cominciai a lavorare all'età di 16 anni.

2. Alla fine, trovasti/trovai/trovammo la strada da soli.

3. I due amici discuteste/discutette/discussero molto prima di decidere.

4. Per un lungo periodo di tempo, io non sentì/sentisti/sentii parlare di lui.

5. I miei nonni costruimmo/costruirono/costruisti questa casa nel 1960.

6. Ricordo che quell'anno voi lavoraste/lavorarono/lavorasti tutta l'estate.

3. Completa con i verbi al passato remoto.

Secondo la leggenda, Romolo e Remo (1. fondare) .... Roma. Dopo alcuni secoli i romani (2. conquistare) .... quasi tutta l'Europa, parte dell'Asia e dell'Africa, e Roma (3. diventare) .... la più grande potenza del mondo antico. Con Giulio Cesare (4. iniziare) .... il passaggio dalla Repubblica all'Impero. Il popolo romano amava molto Cesare, ma nella storia di Roma c'erano anche imperatori meno amati: per esempio, Caligola, che

Romolo e Remo, Statua del Tevere, Piazza del Campidoglio

(5. nominare) .... senatore il suo cavallo, o Nerone che (6. accusare) .... i cristiani dell'incendio di Roma.

4. Completa con il passato remoto.

1. Dopo il viaggio in Italia, Francesca e Veronica (cominciare) .... a interessarsi di arte.

2. Mi ricordo il giorno che (ricevere) .... in regalo la mia prima bicicletta.

3. Sono sicuro che quella volta voi (finire) .... prima di tutti.

4. Perché tu non mi (raccontare) .... niente dei problemi che avevi al lavoro?

5. Al nostro matrimonio non (invitare) .... molte persone.

6. I ragazzi (andare) .... a studiare all'università di Milano, anche se abitavano in Sicilia.

Università degli Studi di Milano

5. Completa con le espressioni del riquadro.

> voglio dire che - mi spiego - in che senso - cioè - vale a dire - nel senso

1. Forse non sono stato abbastanza chiaro: .... meglio.

2. La sua mi sembra una storia molto strana, ... che molte cose non coincidono.

3. Per me va bene tutto, ... che possiamo andare a bere qualcosa al bar, oppure, se preferite il cinema, andare a vedere un bel film.

4. .... non sei d'accordo con quello che ho detto? Cerca di spiegare il motivo, almeno!

5. Quando dico che probabilmente ci vedremo, ... forse verrò!

6. Io sono una persona molto orgogliosa, ... accetto difficilmente aiuto dagli altri.

6. a. Individua nelle frasi il verbo irregolare al passato remoto e scrivi nella tabella l'infinito corrispondente, come nell'esempio. Consulta anche l'Appendice grammaticale.

L'anno scorso vennero in pochi alla mia festa.

1. Mio padre fu molto contento di andare in Spagna.

2. Antonella diede subito tutti i soldi per l'acquisto dell'appartamento.

3. Quella volta le dissi la verità: non potevo partire perché non stavo bene.

4. La Repubblica Italiana nacque nel 1946.

5. Circa un mese fa, Alfredo ebbe l'idea di aprire un ristorante in centro.

6. Vincenzo lesse la notizia sul giornale, non sapeva nulla di quello che era successo.

Madrid, Spagna

Passato remoto	Infinito
vennero	venire
1.	
2.	
3.	
4.	
5.	
6.	

b. Inserisci i verbi dati e completa le frasi.

diedi • diedero • disse • uscimmo • ebbe • fecero • furono • restammo • stettero

1. C'era tanta gente sul treno che noi .... in piedi per tutto il viaggio.

2. Io non gli .... subito una risposta.

3. Quanti .... i re di Roma?

4. Simona ci .... che era severamente vietato fumare in casa sua, per questo .... in giardino.

5. Loro mi .... tanti buoni consigli.

6. Quell'anno, Marina e Giorgio .... un bellissimo viaggio in Toscana.

7. Guglielmo non .... mai un'auto, non aveva neppure la patente di guida.

8. I due amici, dopo tanto tempo che non si vedevano, ... a parlare per ore.

7. Riordina la parte della frase in blu trasformando il verbo al passato remoto, secondo il modello. Consulta anche l'Appendice grammaticale.

vado / Non / ci / perché non ne ho voglia.
Non ci andai perché non ne avevo voglia.

1. lezione / tiene / Il professore / una splendida / sulla vita quotidiana nella Roma antica.
.... sulla vita quotidiana nella Roma antica.

2. andiamo / festa / alla / Non / perché si è fatto tardi.
.... perché si era fatto tardi.

3. posso / Non / quell'informazione / dargli / perché adesso non ho tempo.
.... perché allora non avevo tempo.

4. detto / che / Hanno / ci telefonano quando arrivano.
.... ci avrebbero telefonato quando sarebbero arrivati.

5. un'amica / è stata / Maria / veramente, / sempre pronta ad aiutare.
...., sempre pronta ad aiutare.

6. l'esame / non dà / Walter / perché non è preparato.
.... perché non era preparato.

8. Completa con il passato remoto dei verbi fra parentesi. Consulta anche l'Appendice grammaticale.

1. Durante quelle vacanze (stare, io) .... una settimana a Roma e una a Napoli perché tu mi avevi invitato per la tua laurea, ricordi?

2. A Roma (visitare, io) .... tutti i monumenti in pochi giorni.

3. A Napoli, (venire) .... a trovarci anche Luisa.

4. Mi ricordo che, per la tua laurea, (fare) .... una bellissima festa a casa tua con tanti invitati.

5. Dopo la festa (mettere, noi) .... in ordine la casa.

6. Ricordo anche che tu (dire) .... che quella era stata la giornata più bella della tua vita.

9. Completa la descrizione dei personaggi principali del fumetto _Asterix_.

> liberarsi - nemico - combattere - piccolo - dittatore - furbo - situazioni - forza

Asterix è il protagonista: piccolo, ma (1)................................., è l'uomo più coraggioso del villaggio. Insieme all'amico Obelix è sempre pronto a mille avventure per difendere il loro piccolo villaggio dal (2)..............................: i romani.

Idefix è un (5)................................ cane bianco ed è il cane di Obelix. È deciso e intelligente e più di una volta ha aiutato i suoi amici, Asterix e Obelix, a venir fuori da (6)................................ difficili.

Obelix è il grande amico di Asterix. Molto sentimentale, ha sempre fame e una grandissima (3)................................, perché da piccolo è caduto nella pozione magica. Passa il suo tempo libero a chiacchierare e passeggiare con Asterix e, naturalmente, a (4)................................ contro i romani.

Giulio Cesere, riprende il personaggio storico di Gaio Giulio Cesare, il (7)................................ di Roma. Un uomo pieno di energia ma con tanti problemi. Più volte Asterix e Obelix lo hanno aiutato a (8)................................ dei falsi amici.

10. Completa con le espressioni per contraddire qualcuno.

Ma non è vero niente! - Ma no - Che confusione! - Neanche per - Niente affatto! - Non dare retta

1. • Ti hanno detto che andiamo al cinema, vero? Vieni anche tu?
   • .... Lo sai che non mi piacciono i film di fantascienza.

2. • Stefano, è vero che hai comprato l'appartamento dove abitavi in affitto?
   • .... Ma se non ho i soldi per l'affitto, come faccio a comprare l'appartamento?

3. • Vabbè, se non ti interessa quello che dico...
   • ...., non ho detto che non mi interessa quello che dici, ma mi sembra inutile parlarne: per il momento non c'è soluzione.

4. • Scusami, perché ti sei offeso?
   • .... sogno, stavo pensando a quello che hai detto.

5. • Ciao, Cinzia. Sei ancora qui? Davide mi disse che saresti partita per l'Inghilterra.
   • .... a Davide! Te l'ho detto più volte che dice molte bugie.

6. • Giulio Cesare fondò Roma.
   • .... Furono Romolo e Remo che fondarono Roma.

11. Completa la breve biografia di Gianni Rodari con i verbi dati nel riquadro.

diedero - morì - fondarono - iniziò - fece - nacque - ebbe - divenne

Gianni Rodari (1)....................... a Omegna in provincia di Novara il 24 ottobre 1920 e (2)....................... giovanissimo la sua attività di scrittore. Insieme alla passione per la scrittura (3)....................... sempre la passione per la politica. Nel 1947 diventò giornalista, (4)....................... parte della redazione di importanti quotidiani (l'Unità, Paese Sera) ed era tra coloro che (5)....................... Il  Pioniere, settimanale per ragazzi. Nel 1970 gli (6)....................... il premio Andersen, il più importante concorso internazionale per la letteratura dell'infanzia. Rodari (7)....................... famoso in tutto il mondo. Tra le sue opere più famose, tradotte in tutto il mondo, ricordiamo: Il libro delle filastrocche (1951), Le avventure di Cipollino (1951), Filastrocche in cielo e in terra (1960), Favole al telefono (1962), La freccia azzurra (1964), I viaggi di Giovannino Perdigiorno (1974). Scrittore di grande forza immaginativa, (8)....................... a Roma il 14 aprile 1980.

Adattato da www.giannirodari.it

12. Completa con i verbi al passato remoto.

1. Un giorno (venire) .... a trovarci il fratello di Giovanna. Era molto simpatico e (fare, noi) .... subito amicizia. Poi non so cosa (succedere) ....: non lo (vedere, io) .... più.

2. Laura, l'anno scorso, (prendere) .... tutte le ferie in estate quando (andare) .... in Brasile?

3. (Chiedere, io) .... agli studenti se preferivano fare lezione la mattina o il pomeriggio e loro (scegliere) .... le lezioni della mattina perché così avrebbero avuto il pomeriggio libero.

4. È vero, io non (scrivere) .... mai a Beatrice perché (partire, lei) .... senza salutarmi.

5. Rosa e Francesca una sera (litigare) .... per chi avrebbe dovuto pulire la casa, ma poi (discutere, loro) .... con calma e (capire) .... che non ne valeva la pena.

6. Fabrizio non lo (sapere) .... da me che Giulia usciva con un altro ragazzo, li (vedere) .... lui stesso mentre passeggiavano in centro.

13. Abbina le due colonne. Consulta anche l'Appendice grammaticale.

1.	MDCC	a.	settecentocinquanta
2.	XIX	b.	otto
3.	XLV	c.	diciannove
4.	DCCL	d.	quarantacinque
5.	CLXI	e.	millesettecento
6.	VIII	f.	centosessantuno

14. a. Completa la favola di *Pinocchio*, scritta da Carlo Collodi, con i verbi al passato remoto o all'imperfetto e metti in ordine le varie parti.

A In poco tempo Geppetto (finire) .... il suo burattino*, completo di braccia, mani, gambe e piedi.

B C'era una volta Geppetto, un vecchio uomo che (vivere) .... da solo in una piccola casa con la sola compagnia di un piccolo gatto e un pesce rosso.

C Dopo gli occhi, (fare) .... il naso, ma il naso, appena fatto, (cominciare) .... a crescere e (diventare) .... in pochi minuti un naso lunghissimo.

D Un giorno, Geppetto (decidere) .... di costruire un burattino per avere qualcuno con cui parlare; allora (prendere) .... un grande pezzo di legno e cominciò a lavorare.

* burattino

E   Per cominciare gli (fare) .... il viso, i capelli e gli occhi e gli (scegliere) ....
un nome: Pinocchio. (Rimanere) .... molto sorpreso quando (vedere) ....
che gli occhi di Pinocchio (muoversi) .... e lo (guardare) ....!

F   Appena finito, il burattino (alzarsi) .... e (cominciare) .... a camminare!
Geppetto non poteva credere a quello che stava vedendo! Il burattino (camminare)
.... e (parlare) ....!

G   Dopo il naso, (fare) .... la bocca; ma la bocca, appena fatta, (cominciare)
.... a ridere a Geppetto e poi gli (mostrare) .... anche la lingua.

1. B	2. ☐	3. ☐	4. ☐	5. ☐	6. ☐	7. ☐

b. Completa le frasi con i verbi al passato remoto.

410 d.C.	I Visigoti (scendere) .... in Italia.
455 d.C.	I Vandali (distruggere) .... Roma.
568 d.C.	I Longobardi (invadere) .... l'Italia.
774 d.C.	Carlo Magno (sconfiggere) .... i Longobardi.
1266	Carlo d'Angió (divenire) .... re di Sicilia.
XIV secolo	Molte città (trasformarsi) .... in Signorie.

Incoronazione di Carlo Magno,
Palazzi Pontifici, Vaticano

15. Completa con il trapassato remoto e collega le frasi, come nell'esempio.

1. Oriana Fallaci divenne famosa,
2. Mi ricordo che Franco si sentì male
3. Dopo che (terminato, loro) .... l'esame
4. Iniziammo a vedere il film,
5. Non appena Gino (addormentarsi) ....,
6. Solo quando (arrivare) .... tutti

a. squillò il cellulare: era Maria che gli ricordava l'appuntamento.
b. il professore iniziò a parlare.
c. dopo che (andarsene, loro) ....
d. non appena (bere, lui) .... il primo bicchiere di whisky.
e. andarono a festeggiare con tutti gli amici.
f. dopo che (scrivere, lei) .... il suo libro *Un uomo*.

1. f	2. ☐	3. ☐	4. ☐	5. ☐	6. ☐

16. Completa le frasi con le espressioni giuste.

> si trasferirono in • decisero di • mi ricordai di • si iscrissero a • partì con • andai

1. Appena ebbi preso la laurea in Medicina, ... un anno negli Stati Uniti per seguire un corso di specializzazione.

2. Non appena l'autobus fu partito, ... non aver preso il mio computer portatile.

3. I nonni di Flavia, dopo che ebbero vissuto trent'anni in Svizzera, ... tornare al loro paese.

4. Dopo che furono tornati dal loro viaggio in America, ... un corso di inglese.

5. Quando ebbero avuto il terzo figlio, Dario e Roberta .... campagna.

6. Non appena mio padre ebbe letto l'SMS, ... il primo volo.

17. Completa con il suffisso -mente, secondo il modello.

> (leggero) Sono leggermente stanco perché ho dormito male.

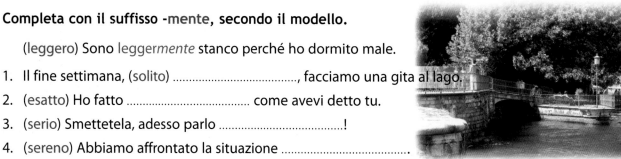

1. Il fine settimana, (solito) ...., facciamo una gita al lago.

2. (esatto) Ho fatto .... come avevi detto tu.

3. (serio) Smettetela, adesso parlo ....!

4. (sereno) Abbiamo affrontato la situazione ....

5. (onesto) Mio padre ha tanti soldi perché ha lavorato tanto e sempre ....

6. (difficile) .... riuscirò a finire questo lavoro per domani.

18. Completa le frasi con gli avverbi corrispondenti agli aggettivi del riquadro.

> minimo - giusto - personale - attento - probabile - libero

1. • Posso dire cosa penso?
   • Certo, parla pure ....

2. • Mi hai spedito i documenti?
   • Sono andata .... alla posta.

3. • Quando ci verrete a trovare?
   • Ci vedremo .... alla fine dell'estate.

4. • Perché non inviti anche Miriam?
   • Non ci penso ....!

5. • Come ha reagito?
   • Aveva ragione, quindi .... si è arrabbiato.

6. • Hai letto i miei appunti?
   • Sì, li ho letti .... Hai fatto un ottimo lavoro!

19. Completa con le preposizioni semplici o articolate.

I nomi dei romani

Il *praenomen* corrisponde (1)................... nostri nomi comuni: Marcus, Caius, Lucius ecc.

Il *nomen gentilicium* indica il "clan" (2).................. quale si appartiene; un cognome comune

(3).................. tante famiglie e comprende, (4)................... volte, migliaia di persone (*la gens*).

Il *cognomen*, infine, è un soprannome, quasi un aggettivo, che indica una caratteristica morale o

fisica (5).................. persona. Rufus (il rosso), Brutus (lo stupido), Calvus (il calvo, cioè senza capelli),

Caecus (il cieco, cioè che non vede), Nasica (il nasone, cioè (6)................... un

grosso naso), Dentatus (il dentone, cioè con grandi denti) ...

L'uso (7).................. tre nomi si diffuse soprattutto (8).................. epoca del

dittatore Silla. Da quel momento (9).................. poi tutti dovettero portare la

loro lunga fila (10).................. nomi.

Adattato da Una giornata nell'antica Roma di Alberto Angela, ed. Mondadori

20. Scegli la parola adeguata.

Davanti a noi, (1) fra - in mezzo - mentre alla gente, vediamo un uomo (2)
in - a - con cavallo che avanza lentamente: è certamente un cavaliere. Avrà
(3) circa - verso - molto venticinque anni e mostra caratteri più "celtici" (4) di - che - come mediterranei: infatti ha gli occhi chiari e i capelli biondo-castani.

Sentiamo un urlo: "Peregrino! Peregrino!". E poi: "Publio Sulpicio Peregrino!". Il giovane a cavallo si
gira (5) circa - verso - durante di noi e ci guarda... Non capiamo. L'uomo (6) che - chi - cui ha urla-
to si trova proprio (7) davanti - accanto - dietro di noi ed è verso di lui che il cavaliere guarda.
L'uomo viene avanti e sorride. Il cavaliere lo riconosce e con un salto scende (8) nel - dal - con
cavallo. I due si abbracciano a lungo. Sono fratelli che non si vedono (9) per - da - in tempo. Allegri
e contenti, vanno (10) a - con - in piedi verso un piccolo locale. Vanno certamente a bere vino ...

Adattato da Una giornata nell'antica Roma di Alberto Angela, ed. Mondadori

21. Completa le frasi con la parola giusta.

1. - Com'è andata la gita a Roma? - Quale gita? Mauro non è stato bene, ... abbiamo deciso di andarci il prossimo fine settimana!

   a) così   b) quando   c) se

2. I ragazzi sono andati al cinema, ... non hanno visto il film che volevano vedere.

   a) perché   b) ma   c) allora

3. .... hai detto che arriverai? Domani mattina?

   a) Dove   b) Come   c) Quando

4. No, non mi disturbi affatto, ... mi fa molto piacere vederti.

   a) se   b) però   c) anzi

5. Non ha passato l'esame .... negli ultimi tempi studiava pochissimo!

   a) perché   b) allora   c) così

6. Il Meridione, ... il Sud d'Italia, comprende le seguenti regioni: Abruzzo, Basilicata, Calabria, Campania, Molise, Puglia, Sicilia e Sardegna.

   a) invece   b) o   c) che

22. Abbina ogni parola alla giusta definizione.

1. cattedrale	a. fuoco violento che distrugge tutto
2. borghesia	b. forma di governo di molte città italiane nel Trecento e Quattrocento
3. Signoria	c. entrare e occupare un luogo con la forza
4. incendio	d. chiesa principale
5. invasione	e. classe sociale composta da mercanti, banchieri e professionisti

CD 1

17 **23. Il brano che segue è una brevissima storia della lingua italiana; ascoltalo e indica l'affermazione giusta tra quelle proposte.**

1. Il latino volgare

   a. era la lingua ufficiale dell'antichità

   b. è la lingua da cui nacquero alcune lingue moderne

   c. era la lingua parlata durante l'Impero Romano

   d. è la lingua più diffusa in Europa

2. L'italiano moderno

   a. ha origine ai tempi dell'antica Roma

   b. ha origini molto recenti

   c. deriva dal dialetto parlato in Sicilia

   d. deriva dal dialetto parlato a Firenze

3. La lingua italiana

   a. ha avuto una storia lunga e difficile

   b. non ha molti dialetti

   c. ha poche parole di origine straniera

   d. non ha le vocali

4. Dal Trecento all'Ottocento

   a. in Italia si parlava l'italiano standard

   b. in Italia si parlavano moltissimi dialetti diversi

   c. si parlava solo il latino

   d. gli italiani usavano solo lingue straniere

5. L'italiano standard

    a. si sviluppa con l'Unità d'Italia

    b. si diffonde grazie al fascismo

    c. si afferma soprattutto al Nord Italia

    d. si afferma soprattutto grazie alla TV

6. Oggi gli italiani

    a. parlano più in dialetto che in italiano

    b. a volte parlano in dialetto

    c. non usano per niente i dialetti

    d. imparano almeno un dialetto a scuola

Test finale

A   **Scegli l'alternativa corretta.**

1. Non appena (1)............................ che il tempo era poco, si misero (1)............................ al lavoro.

    (1) a) capivano

        b) ebbero capito

        c) avevano capito

    (2) a) molto veloci

        b) veloce

        c) velocemente

2. Il professore (1)............................ qualcosa, ma nessuno dei ragazzi presenti lo (2)............................

    (1) a) ebbe detto

        b) dice

        c) disse

    (2) a) ascolterebbe

        b) ebbe ascoltato

        c) ascoltava

3. Mentre la nave (1)............................, loro (2)............................ a immaginare come sarebbe stato il viaggio.

    (1) a) partiva

        b) partì

        c) fu partita

    (2) a) iniziano

        b) iniziavano

        c) iniziarono

4. In quell'occasione non (1)............................ bene, (2)............................ avresti almeno potuto chiederle scusa.

    (1) a) ti comporterai

        b) ti comportasti

        c) ti comportavi

    (2) a) niente affatto

        b) voglio dire che

        c) neanch'io

5. (1)............................ una bambina la quale, mentre attraversava il bosco, (2)............................ un lupo cattivo.

    (1) a) Ci sono state due volte

        b) C'era una volta

        c) C'è una volta

    (2) a) incontrerà

        b) incontrerebbe

        c) incontrò

6. Non appena il treno (1)............................ dalla stazione, (2)............................ di aver dimenticato il passaporto.

    (1) a) usciva
         b) uscii
         c) fu uscito

    (2) a) ci rendevamo conto
         b) ci rendemmo conto
         c) ci renderemmo conto

B Scrivi una breve biografia di Virgilio, il grande poeta latino, trasformando i verbi al passato remoto.

70 a.C.	Virgilio (1) nasce in un paese vicino a Mantova. I genitori lo (2) mandano a studiare prima alla scuola di Cremona, poi a Milano per frequentare le scuole migliori.
53 a.C.	(3) Va a Roma e lì (4) ha la possibilità di studiare con lo stesso maestro dell'imperatore Augusto.
44 a.C.	(5) Muore Giulio Cesare, ucciso dai nemici interni, e Virgilio (6) si trasferisce a Napoli dove (7) scrive la sua prima opera, *Le Bucoliche*.
Tra il 36 e il 29 a.C.	Durante il suo soggiorno a Napoli (8) compone un altro dei suoi capolavori, *Le Georgiche*. Con quest'opera (9) diventa il poeta preferito dell'imperatore Augusto e di tutto l'Impero Romano.
Tra il 29 e il 19 a.C.	L'ultima sua opera letteraria (10) è l'*Eneide*, in cui (11) celebra la grandezza della *gens Iulia*, la famiglia di Giulio Cesare. Virgilio (12) muore il 21 settembre del 19 a.C. a Brindisi ritornando da un lungo viaggio in Grecia e in Asia. Virgilio (13) è uno dei più grandi poeti nati in Italia: Dante Alighieri lo (14) rappresenta come suo maestro e guida nell'Inferno.

....

....

....

....

....

....

....

....

....

C   Risolvi il cruciverba.

ORIZZONTALI

1. La città del Castello Sforzesco.
4. Periodo strorico compreso tra il 476 e il 1472.
7. Infinito di *foste*.
9. Il fratello di Remo.

VERTICALI

1. Famosa famiglia della Firenze del XV secolo.
2. Avverbio di *felice*.
3. Lo era Augusto.
5. Il contrario di *amico*.
6. XXI in lettere.
8. Diventa capitale d'Italia nel 1871.

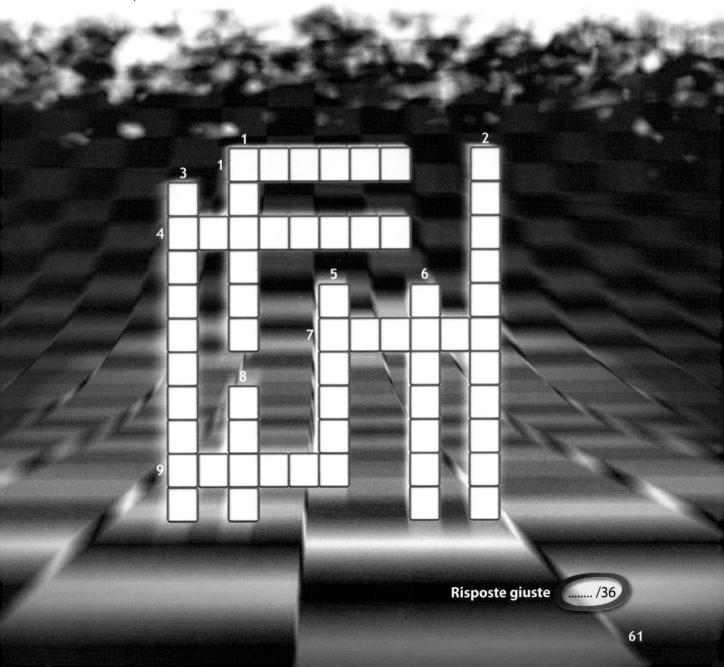

Risposte giuste .... /36

Attività Video - episodio *In giro per Roma*

Per cominciare...

1 Quali monumenti di Roma conosci? A coppie, fate una lista dei posti e dei monumenti famosi di Roma che conoscete direttamente o da quanto avete visto nel *Libro dello studente*.

2 Guarda senza audio i primi 40 secondi. Cosa succede, secondo te? Cosa puoi capire dall'atteggiamento e dai gesti dei due protagonisti? Descrivi la situazione e fai ipotesi sul proseguimento dell'episodio.

Guardiamo

1 Guarda l'intero episodio con l'audio e verifica le ipotesi fatte in precedenza.

2 Abbina le informazioni date alle foto corrispondenti.

a. Il leone di San Marco viene dalle mura di Padova.
b. Fu progettata da Michelangelo alla metà del Cinquecento.
c. La sua costruzione iniziò nel 72 sotto l'imperatore Vespasiano.
d. In epoca romana era uno stadio.
e. Fu un monumento romano, cioè la tomba di Adriano.
f. Si chiama così perché nel '700 c'era l'ambasciata spagnola.

Facciamo il punto

Fai un breve riassunto dell'episodio, orale o scritto (60-70 parole).

1. a. Inserisci le seguenti parole (alla moda, mangiano, simpatici, costose, muovono, grida-no) **e leggi le opinioni di alcuni stranieri sugli italiani.**

> Gli italiani sono molto (1)............... e sono sempre contenti.

> (2)............... solo pasta e pizza.

> Gli italiani sono molto rumorosi e (3)............... sempre.

> Vestono sempre (4)............... .... e portano sempre dei grandi occhiali da sole.

> (5)............... le mani quando parlano, gesticolano molto.

> Hanno macchine molto (6)............... e usano sempre il cellulare.

b. Conosci degli italiani? Completa con il congiuntivo le risposte alle opinioni che hai letto.

1. È vero che molti italiani sono simpatici, ma non penso che tutti gli italiani (essere) .... sempre contenti.

2. Certamente gli italiani mangiano molta pasta ma credo che (mangiare) .... un po' di tutto.

3. Sicuramente la moda italiana è famosa nel mondo, ma mi sembra che non tutti gli italiani (vestire) .... all'ultima moda.

4. È vero che parlano un po' a voce alta, ma non mi pare che (essere) .... molto rumorosi e che (gridare) .... sempre.

5. Forse gli italiani gesticolano un po' quando parlano, ma penso che (muovere) .... le mani come tutti.

6. A volte, forse, li avrai visti parlare al cellulare, ma non mi sembra che (usare) .... sempre il cellulare, e non credo che (avere) .... tutti macchine costose.

7. Credo che non (esserci) .... molte differenze fra noi e gli italiani, anzi penso che (essere) .... molto simili a noi.

2. Scegli il verbo corretto.

1. È vero che loro capiscano/capiscono/capirebbero bene l'italiano?

2. Sembra che i tuoi amici si trovavano/si trovano/si trovino bene in Italia.

3. Franco è/sia/sarà sempre agitato: ultimamente non riesce a dormire bene.

4. Ho l'impressione che tu non hai/avevi/abbia energie perché non faccia/fai/farai mai colazione la mattina.

5. Non so quanto tempo si fermerà da noi; immagino che ripartiamo/ripartiate/riparta la settimana prossima.

6. È meglio che loro cambino/cambiano/cambiato abitudini: non possono continuare con questi ritmi frenetici.

3. Completa con il congiuntivo presente.

1. Spero che lo spettacolo (finire) .... presto; domani devo alzarmi alle sei.

2. Penso che Mario (passare) .... troppo tempo davanti al computer.

3. È necessario che (prendere, voi) .... il treno delle dieci per arrivare in orario all'appuntamento.

4. Può darsi che (avere, loro) .... ragione, ma noi non siamo per niente d'accordo.

5. Mario pensa che noi (lavorare) .... troppo e che dovremmo prenderci un periodo di vacanza.

6. Non credo che Giovanni (essere) .... pigro, è soltanto stressato, ha bisogno di rilassarsi un po'.

4. Completa con il congiuntivo passato secondo il modello.

● Quando torna Claudio?
● Credo che sia tornato ieri.

1. ● Chi avrà vinto la partita?
   ● Spero che l' .... l'Italia!

2. ● Giulio e Loredana sono partiti per la luna di miele. Secondo te, chi ha pagato il loro viaggio di nozze?
   ● Immagino che l'.. i loro genitori.

3. ● Teresa è mai venuta a Verona?
   ● Mi pare che ci .... due anni fa.

4. ● Anna ha comprato il giornale?
   ● Sì, credo che l' .... stamattina.

5. ● I ragazzi hanno finito di fare i compiti?
   ● È facile che non li .... ancora .... perché avevano molti esercizi di matematica.

6. ● Sai quando se ne sono andati Gianni e Alberto?

    ● È probabile che .... poco prima del nostro arrivo.

7. ● Sai che mia figlia ha vinto quel concorso pubblico di cui ti avevo parlato?

    ● Sono veramente contento che l' .... tua figlia.

8. ● Ma Giulio è partito senza dire niente?

    ● Eh sì, penso che .... senza neanche salutarci.

5. Cosa è successo a queste persone? Osserva le vignette e completa le frasi con il verbo giusto al congiuntivo passato.

andare ● superare ● partire ● sposarsi ● perdere ● bere

1. Credo che Silvia .... il treno.

2. Penso che questa volta Stefano .... l'esame di Letteratura italiana.

3. Ragazzi, ho l'impressione che questa sera .... un po' troppo.

4. Immagino che Federica .... via dalla festa non appena è arrivato Graziano.

5. Mi sembra che la famiglia Bianchi .... per le vacanze.

6. È probabile che Andrea e Veronica .... senza dire niente a nessuno: sono sempre stati un po' strani.

6. Completa con il congiuntivo presente o passato.

1. Non sono sicuro che, l'altro giorno, Francesco (capire) .... quello che gli abbiamo detto.

2. Se non hanno risposto alla tua email, è probabile che non (ricevere) l'..

3. • Perché Alessandra non è venuta?

   • Credo che ieri (sentirsi) .... male e (preferire) .... restare a casa.

4. È necessario che (lavorare) .... di più se volete finire questo lavoro prima di domenica.

5. È una fortuna che tu (portare) .... l'ombrello. Guarda: piove.

6. • Perché Antonio non risponde al cellulare?

   • Credo che il suo cellulare non (funzionare) ....

7. Leggi le frasi e scegli la risposta corretta fra le due alternative.

1. • Scusami per il ritardo, ma c'è veramente tanto traffico. • Per me va bene! / Non fa niente!

2. • Spero di non crearti problemi, ma oggi ho l'influenza e non posso venire. Ti dispiace se ci vediamo domani? • Certo, nessun problema. / Fai pure con calma.

3. • Ho deciso di abbandonare l'università e cominciare a lavorare. • Fa' come ti pare! / Non fa niente!

4. • Mario, posso chiamare dal tuo cellulare? • Non fa niente! / Figurati, fai pure!

5. • Penso di comprare un nuovo computer. Cosa ne dici? • Per me va bene! / Figurati, fai pure!

6. • Sandra, finisco di scrivere questa email e sono da te tra cinque minuti. • No, non fa niente! / Fai pure con calma.

8. a. Trasforma le frasi da affermazioni in supposizioni, secondo il modello.

La settimana prossima vado in montagna.
È probabile che la settimana prossima vada in montagna.

1. Dino sta organizzando un viaggio, ma non so per quando.
   Credo che Dino .... organizzando un viaggio, ma non so per quando.

2. Se faccio una festa per il mio compleanno, ti avviso.
   È difficile che io .... una festa perché il giorno dopo ho un esame.

3. Io ho invitato anche Elisa, ma non so se può venire.
   Io ho invitato anche Elisa, spero che .... venire.

4. Quando dico che mi sono divertito alla sua festa, sono sincero.
   Sandra crede che io .... che mi sono divertito alla sua festa per non offenderla.

5. Siccome non ho la macchina, vengo con voi.

   È probabile che io .... con voi perché non ho la macchina.

6. Roberto non dà molta importanza al suo rapporto con Federica.

   Penso che Roberto non .... molta importanza al suo rapporto con Federica e lei ne soffre tanto.

b. Completa le frasi con i verbi del riquadro al congiuntivo. Consulta anche l'Appendice grammaticale.

uscire - volere - dire - scegliere - venire - andare - sapere - salire - fare - stare

1. Non credo che in questo periodo .... molto caldo a Livorno.

2. È giusto che voi .... sempre quello che pensate.

3. È importante che loro .... la facoltà universitaria: da questa decisione dipende il loro futuro.

4. Speriamo che .... anche Giuliano e Nina: sono così simpatici.

5. Credo che i ragazzi .... tornando, è già mezzanotte.

6. Sembra che Giovanni .... trasferirsi a Londra.

7. Spero che i prezzi non .... ancora.

8. Penso che loro .... al mare il prossimo fine settimana.

9. È necessario che io .... a fare due passi: ho lavorato troppo.

10. Credi che non .... quando è nata mia moglie?

Livorno, Toscana

9. Completa il testo con le parole del riquadro.

alcoliche • almeno • cominciate • davanti • mangiate • necessario
notte • piedi • ritmi • sedentaria • seguiate • stress

Una buona salute dipende da uno stile di vita sano: per averla è

sufficiente che (1)................................. delle semplici regole quotidiane. Vediamo qualche consiglio.

In primo luogo è (2)................................. che facciate un po' di movimento ogni giorno. La vita

(3)................................. è una vera nemica della salute e spesso è la causa principale del mal di schie-

na. Cercate di camminare (4)................................. un'ora al giorno: andate al lavoro a (5)..................

.............., in bicicletta o con i mezzi pubblici. (6)................................. la giornata con una sana colazio-

ne. Prendete almeno un'ora di pausa per il pranzo: è meglio che non (7)................................. panini,

e che limitiate i caffè e le ore passate (8)................................. alla TV.

Cercate di evitare lo (9)................................. È importante che abbiate (10)................................. rego-

lari e che dormiate almeno sette ore a (11)..................................

Ovviamente, inoltre, cercate di evitare il fumo e le bevande (12).................................

10. Trasforma le frasi con il verbo al congiuntivo presente o passato, secondo il modello. Consulta anche l'Appendice grammaticale.

Voglio che   Ascoltatemi quando vi parlo!
Voglio che mi ascoltiate quando vi parlo!

1. *Spero che*   Smetterà di piovere? Vorrei andare a fare una passeggiata in centro.

   ....

2. *Ho paura che*   Non hai capito bene quello che ho detto.

   ....

3. *Mi fa piacere che*   Vi trovate bene in questa città.

   ....

4. *Desidero che*   Restate a cena con noi!

   ....

5. *Sono contento che*   Venite a vivere vicino a casa nostra.

   ....

6. *Temo che*   Patrizia ha fatto una brutta figura all'esame.

   ....

7. *Mi auguro che*   Il direttore ci darà l'aumento che ci aveva promesso.

   ....

8. *Mi dispiace che*   Non sei potuto venire alla conferenza: era molto interessante.

   ....

11. Completa le frasi con la giusta espressione (spazi in rosso) e il verbo al congiuntivo presente o passato (spazi in blu).

È probabile che • È importante che • È normale che • È strano che
Si dice che • È necessario che

1. .... Beatrice (arrivare) .... con un'ora di anticipo, di solito è sempre in ritardo.

2. ...., in questo periodo, (cercare, voi) .... di stare vicino a Luigi, ha avuto tanti problemi ed è tanto triste.

3. .... io (fare) .... subito una telefonata: devo chiamare a casa per dire che torno più tardi.

4. .... Luca (partire) .... per motivi di lavoro.

5. .... (sapere) .... bene l'inglese: ha vissuto dieci anni a Londra.

6. .... Alberto (decidere) .... di andare a vivere in Germania, per questo sta seguendo un corso di lingua tedesca.

12. Collega le frasi con la congiunzione corretta.

1. Accetterò l'invito	prima che	a. tu abbia bisogno di me.
2. Chiamami	a meno che	b. mi dica la verità.
3. Vai a salutare i tuoi amici	affinché	c. ne abbia già due.
4. Parlerò con Sergio	nel caso	d. non lo sappiate già.
5. Comprerò una nuova bicicletta	benché	e. partano per la Spagna.
6. Vi racconto io cosa è successo ieri,	a patto che	f. mi facciate portare il dolce.

13. Inserisci negli spazi rossi i pronomi relativi e negli spazi in blu le espressioni date.

È preferibile che ● a condizione che ● Ho intenzione di ● Sebbene ● perché ● Anche se
che ● che ● che ● su cui ● in cui ● con cui

1. .... l'appartamento ....
.... abito è vecchio, a me piace molto perché è in centro.

2. .... conosca da poco Patrizia, la ragazza .... vado in piscina, la considero una
vera amica.

3. Carlo è ancora disoccupato .... vuole
fare un lavoro .... non lo faccia stancare.

4. .... comprare una macchina ....
.... sia grande, veloce ed economica.

5. Ti presto volentieri i libri .... preparare l'esame di lingua tedesca, ...
.... quando finisci me li restituisca.

6. La Fiat cerca giovani laureati .... conoscano almeno due lingue. ....
.... siano disposti a viaggiare.

14. a. Completa le frasi con le parole date e i verbi al congiuntivo.

andare - comunque - qualsiasi - fare - riuscire - chiunque

1. Ovunque .... si porta sempre dietro il suo cane.

2. La palestra fa uno sconto a .... porti con sé un
amico.

3. È il viaggio più bello che .... in vita mia.

4. .... cosa tu dica, io resterò della mia opinione.

5. Gianni è il solo che .... a farmi ridere quando
sono triste.

6. Ti sarò sempre vicino .... vadano le cose!

69

b. Completa le frasi con il verbo al congiuntivo negli spazi blu e con le espressioni date negli spazi rossi.

> sarà difficile che - È un peccato che - il ragazzo più - purché - Nonostante - basta che

1. .... mio nonno (compiere) .... 78 anni il mese scorso, continua ad andare in bicicletta.

2. Ti comprerò il motorino, ... tu mi (promettere) ....
   .... di guidare con attenzione!

3. .... non (potere) .... aprire un Bed&Brekfast, era il mio desiderio più grande.

4. Oggi c'è proprio tanto lavoro, ... stasera (avere, io) ....
   .... voglia di venire a ballare.

5. Vi aiuterò con questo esercizio .... poi (mettersi, voi) ....
   .... da soli a fare gli altri.

6. Riccardo è .... simpatico che (conoscere) ....

15. Completa le battute delle vignette con i verbi dati.

> abbia ... visto • abbiano • faccia • sia • vinca • vincano

Quando dici a qualcuno «Non si preoccupi, non abbia paura, è un cane tranquillo», hai idea di quanto questo mi (1)..................... stare male?

Nave in vista! Credo che (2)..................... cattive intenzioni...

Non è necessario che tu (5)..................... d'accordo con me. Puoi sempre tenere la bocca chiusa!

Certo, Lei non ha nessuna colpa fino a quando non sarà dimostrato il contrario... sebbene io non (3)........... mai .... un'espressione così cattiva.

Le ultime parole famose...

Sono anni che combatto i chili in eccesso, ma pare che (4)..................... sempre loro!

Chiunque (6)....................., a fine partita ci daremo la mano e... amici come prima!

16. Completa con i tempi opportuni del congiuntivo.

1. Mi sembra strano che tu non (leggere) .... *Il Piccolo Principe* di Antoine de Saint-Exupéry!

2. È meglio che voi (leggere) .... tutto l'articolo prima di dire la vostra opinione.

3. Non sono sicuro, ma credo che Ilaria (finire) .... di lavorare alle cinque, e (tornare) .... a casa verso le sette.

4. Penso che Ilaria (finire) .... di lavorare presto oggi: le ho telefonato ed era già a casa.

5. È impossibile che tu, in tutti questi anni, non (capire) .... ancora come la penso.

6. È incredibile che tu non (capire) .... quello che ti sto dicendo.

7. È facile che domani noi non (riuscire) .... a superare l'esame perché abbiamo studiato poco e male.

8. Mi pare impossibile che tu non (riuscire) .... a superare l'esame di ieri: avevi studiato così tanto!

17. Indicativo, infinito o congiuntivo? Scegli il modo adeguato.

1. Fulvia ha finalmente deciso di (andare) .... in un centro dietetico per seguire un'alimentazione più equilibrata.

2. Secondo me, Piero (partire) .... per le vacanze: ieri non rispondeva al telefono.

3. Non sono sicuro che questo piatto (essere) .... più nutriente di quelli che cucino io.

4. Solo quando ho visto il cartello, ho capito che (sbagliare) .... strada.

5. È importante che tutti (arrivare) .... in orario a lezione.

6. Probabilmente domani sera (andare, loro) .... al cinema.

7. La mia città è sicuramente più bella anche se (fare) .... più freddo.

8. Giovanni ha scelto di (trasferirsi) .... a Bologna quando ha conosciuto Stefania.

Bologna, Basilica di San Petronio

18. Completa la mail di Piero con il congiuntivo o l'indicativo dei verbi.

A: paolas@yahoo.it
Cc:
Oggetto: congratulazioni!!!

Cara Paola,

ti scrivo dopo aver ricevuto la bella notizia. Mi fa piacere che tu (1. trovare) ....
un buon posto di lavoro. Hai visto che alla fine (2. farcela) ....?! Sono veramente felice che le cose (3. andare) .... così, anche se un po' (4. dispiacersi)
...., mi rattrista il fatto che tu non (5. potere) .... più
venire a trovarmi tanto spesso.
Comunque io ti (6. aspettare) .... per le prossime vacanze. Spero che ti (7.
dare) .... due settimane di ferie per poter realizzare il viaggio in Messico che
(8. progettare) ....
Non vedo l'ora che (9. arrivare) .... quel momento.
Un grosso bacio,
Piero

19. Completa con le preposizioni.

1. Chi ha parcheggiato la macchina .... marciapiede?

2. Vado .... fare jogging .... parco.

3. Per favore, non lasciare i tuoi libri .... mia scrivania.

4. .... balcone .... mia casa si gode un magnifico panorama.

5. .... questo momento vorrei essere .... un'isola deserta, lontano .... problemi.

6. Mi puoi prendere la giacca? È .... armadio.

20. Scegli la parola corretta.

Gli italiani e lo sport

In Italia sono (1) verso/circa/troppi 17.170.000 le persone, di tre anni e più
(pari al 30,2%), che dichiarano (2) a/di/per praticare uno (3) o/e/ma più
sport.
Gli uomini praticano lo sport più (4) per le/delle/dalle donne, anche se
queste, attualmente, (5) si dedicano/si dedichino/di dedicavano all'attività sportiva più (6) che/di/del in passato. I giovani fanno attività fisica più
degli adulti e lo sport è più praticato al Nord (7) del/che al/dal Sud.
(8) Mentre/Fra/Per gli sport più praticati troviamo, ovviamente, il calcio, (9) anche se/purché/
benché negli ultimi anni si sia notato un incremento (10) con/di/da altre discipline, come la

ginnastica, l'aerobica e il nuoto. Queste attività sono praticate più dalle donne (11) di/che/per dagli uomini. Per quanto riguarda la motivazione, gli italiani fanno attività fisica più (12) per/su/da piacere e per diminuire lo (13) stanchezza/stress/ritmo di vita che per mantenersi in forma. Molte sono, tuttavia, le persone (14) chi/che/cui non fanno nessuna attività sportiva.

21. Completa con le preposizioni date.

di • di • di • di • della • in • in • in • in • a • a • all' • con • da

I pranzi come i fiori. Si regaleranno a distanza.

Mangiare un buon piatto preparato (1)................. cura, con prodotti di qualità, (2)................. stagione e caratteristici (3)................. una regione. Mangiarlo (4)................. un ristorante romano, ma offerto (5)................. un amico milanese.

Food transfer in inglese, (6)................. italiano lo traduciamo "pasto trasferibile": si tratta della possibilità (7)................. regalare un pranzo o una cena (8)................. una persona che vive in un'altra città e che andrà (9)................. gustarsi quel pranzo o quella cena in uno dei ristoranti che partecipano (10)................. iniziativa. La rete conterà 80 locali (11)................. Italia ma aspira ad avere non meno (12)................. novemila ristoranti (13)................. tutta Europa. Faranno parte (14).................
rete solo quei locali che utilizzano materie prime di qualità.

Adattato da *www.corriere.it*

CD 1

23

22. Ascolta un'intervista a una ragazza, realizzata in una palestra di Milano, e scegli l'alternativa corretta.

1. La palestra frequentata dalla ragazza
   - a. è piccola e pulita
   - b. è frequentata da bambini
   - c. offre molti servizi e corsi diversi
   - d. ha corsi per anziani

2. La ragazza ha scelto questa palestra anche perché
   - a. ci vanno i suoi amici
   - b. costa poco e non è lontana da casa
   - c. è aperta fino a tardi
   - d. conosce bene l'istruttore

3. La ragazza va in palestra
   - a. per passare un po' il tempo
   - b. perché ama nuotare
   - c. perché è un tipo molto sportivo
   - d. perché si vuole rilassare

4. La ragazza frequenta la palestra
   - a. due o tre volte alla settimana
   - b. tre o quattro volte al mese
   - c. tre o quattro volte alla settimana
   - d. tre o quattro volte al giorno

Test finale

A **Scegli l'alternativa corretta.**

1. I miei? Credo che quest'estate (1)........................ in montagna. Vedremo cosa (2)........................!

   (1) a) vadano
       b) vanno
       c) siano andati

   (2) a) decideranno
       b) sono decisi
       c) decidano

2. È un bene per tutti che (1)........................ l'acqua nei mesi scorsi.
   Ora (2)........................ affrontare meglio il caldo di questi giorni!

   (1) a) risparmierà
       b) risparmi
       c) abbiamo risparmiato

   (2) a) possiamo
       b) abbiamo potuto
       c) potremmo

3. Ho paura che (1)........................ poche speranze, ma spero (2)........................!

   (1) a) ci sono
       b) ci siano
       c) ci siano state

   (2) a) che mi sbaglierò
       b) che mi sbaglio
       c) di sbagliarmi

4. Nonostante Massimo (1)........................ tanto per l'Europa non (2)........................ ancora a parlare
   bene l'inglese.

   (1) a) viaggia
       b) viaggiava
       c) viaggi

   (2) a) riesce
       b) riesca
       c) riusciva

5. (1)........................ decisione prenderà Sabrina, io le (2)........................ sempre vicino.

   (1) a) Qualunque
       b) Chiunque
       c) Comunque

   (2) a) sia
       b) sono stato
       c) sarò

6. Posso anche credere che (1)........................ Tiziano Ferro, ma non che (2)........................insieme a
   lui in un concerto!

   (1) a) abbia conosciuto
       b) conoscerà
       c) abbiamo conosciuto

   (2) a) abbia cantato
       b) ne abbiamo cantato
       c) abbiamo conosciuto

B   Completa con: prima che, prima di, sebbene, purché, senza che, affinché.

1. Ti comprerò le scarpe che vuoi, ... non costino troppo.

2. .... metterci in viaggio, facciamo controllare la macchina.

3. Ho bisogno di un programma specifico .... possa lavorare su questo computer.

4. .... non mi senta molto bene, vado in ufficio perché ho un appuntamento importante.

5. Michela si è arrabbiata .... nessuno le abbia detto niente.

6. Telefonerò ai miei genitori .... partano per le vacanze.

C   Risolvi il cruciverba.

ORIZZONTALI

1. Un sinonimo di *sebbene*.

3. Sport ... in bicicletta.

6. Le prendiamo quando siamo deboli e stanchi.

7. Lo si dice di una vita... passata a star seduti.

8. Il contrario di *avere ragione*: avere...

9. Lo è una persona che non ha voglia di fare sport, non è attiva, energica, dinamica.

VERTICALI

2. Guida il taxi.

4. Il contrario di *dimagrire*.

5. Ci andiamo per fare un po' di ginnastica e per mantenerci in forma.

7. Fa veramente male a tutti: lo...

Risposte giuste .... /28

75

Attività Video – episodio *Facciamo un po' di sport!*

Per cominciare...

1 All'inizio dell'episodio, Gianna dice la seguente frase. Prova a completare gli spazi vuoti.

Se .... a resistere un quarto d'ora, sarà già un buon ....

2 Ora guarda i primi 40 secondi e verifica le tue risposte. Fai anche delle ipotesi su come continuerà l'episodio.

Guardiamo

Guarda l'intero episodio e verifica le ipotesi fatte finora.

Facciamo il punto

Osserva le immagini e le battute e scegli l'alternativa corretta.

> Comunque d'accordo che adesso faccio vita sedentaria...

1. Lorenzo usa l'espressione evidenziata per dire:

a. ▢ è giusto che   b. ▢ è strano che
c. ▢ è vero che

> Io mica intendo fermarmi per te, eh?

2. Gianna usa la parola evidenziata per dire:
a. ▢ assolutamente non   b. ▢ sicuramente
c. ▢ forse

> Fai come vuoi, io non credo di farcela.

3. Lorenzo usa il verbo evidenziato per dire:
a. ▢ poter respirare   b. ▢ poter continuare
c. ▢ fare bene

1. Completa con l'imperativo.

1. Se i signori hanno deciso, (ordinare) .... pure!

2. Dottoressa Bindi, se deve parlare con il direttore, (andare) .... pure!

3. Signor Citterio, se deve proprio andare, (prendere) .... la mia moto!

4. Signorina, dobbiamo aspettare ancora un po', (avere) .... pazienza!

5. Signora, se vuole arrivare puntuale, (partire) .... con il treno delle quattro!

6. Signora Rossi, (essere) .... gentile, (abbassare) .... il volume della radio!

2. Scegli il verbo adeguato e formula dei consigli usando l'imperativo indiretto.

chiudere - riposarsi - fare - preparare - girare - spegnere - scrivere

1. - Scusi, per Piazza di Spagna? - È facile, ...
   alla prima a destra e dopo cento metri si troverà davanti la fontana della Barcaccia!

2. - Ho l'impressione che il direttore non legga tutte le mie email.
   - La prossima volta .... e-mail più brevi, signor Negri!

3. - Oggi, ho un forte mal di testa. - Signorina, ... il computer e ....
   .... una passeggiata nel parco!

4. - Direttore, cosa offriamo ai nostri ospiti? - Signorina, ... un buon caffè per tutti!

5. - Oggi mi sento proprio stanco. - Se è così stanco, ... un po'!

6. - Fa un po' freddo in questo ufficio. - .... la finestra, signora Giglio!

3. Completa secondo il modello.

Bere/camomilla/farà bene.
Mario, bevi una camomilla: ti farà bene.
Signorina, beva una camomilla: Le farà bene.
È meglio che Lei beva una camomilla.

1. Prendere/taxi/se/non volere aspettare.
   a. Pietro, ...
   b. Signorina, ...

2. Andare via/non voglio più vedere/te-Lei.
   a. Gianfranco, ...
   b. È meglio che Lei ....

3. Raccontare/tutto quello/avere visto.

   a. Signor Baldi, ...

   b. Desidero che tu ....

4. Telefonare subito/quando/essere a Roma/dobbiamo parlare/a te-a Lei.

   a. Fulvio, ...

   b. È bene che Lei ....

5. Chiedere/se/avere qualche dubbio

   a. Signor Modena, ...

   b. È opportuno che tu ....

6. Uscire adesso/prima che/chiudere i negozi

   a. Mario, ...

   b. Signora, ...

4. **Completa le frasi con l'imperativo indiretto e i pronomi, secondo il modello.**

   Gianni, per favore, portami gli occhiali che sono sul tavolo!
   Signorina, per favore, mi porti gli occhiali che sono sul tavolo!

1. Vedi quella piazza? Attraversala e sei arrivato!

   Vede quella piazza? .... ed è arrivato!

2. Piero, dicci la vertà!

   Signor Pivetti, per favore, ... la verità!

3. Se vedi Angela, salutamela!

   Se vede Angela, ...!

4. Claudio, dammi una mano!

   Signor Pizzi, ... una mano, per favore!

5. Vattene, non voglio più vederti!

   ...., non voglio più vederLa!

6. Siediti pure! Io preferisco restare in piedi.

   Signora, per favore, ... Io preferisco restare in piedi.

5. **Completa con l'imperativo e i pronomi combinati.**

1. Signor Ghezzi, abbiamo saputo che ha fatto tante belle fotografie a Barcellona. (mostrare - a noi - le fotografie) ...., per favore!

   Barcellona, Casa Battlò

2. Professoressa, i ragazzi non hanno capito bene il congiuntivo. Per favore, (spiegare - ai ragazzi - il congiuntivo) .... di nuovo!

3. Signor Donati, il direttore ha bisogno di questi documenti, per favore (portare - i documenti - al direttore) ....

4. Signorina, siccome non posso venire stasera alla festa di suo padre, per favore, il regalo (dare - a lui - il regalo) .... Lei!

5. Ha portato quei documenti che le avevo chiesto? (fare vedere - i documenti - a me) ....
........................!

6. Ha detto al direttore che domani non può venire in ufficio? (dire - a lui - che non può venire) .... subito!

6. **Completa con l'imperativo diretto e indiretto alla forma negativa.**

1. Ivan e Gloria, non (stare) .... tante ore davanti al computer, fa male!

2. Signor Bialetti, non se La prenda! La prego, non (arrabbiarsi) ....!

3. Non (temere) ...., Marco: non racconterò niente di quello che ho visto!

4. Signori, non (preoccuparsi) ....: troveremo una soluzione!

5. Ragazzi, se volete andare in Piazza del Duomo, non (prendere) .... il 13, ma il 15!

6. Avvocato, non (venire) .... in ufficio se non sta ancora bene! Ci occupere- mo noi degli appuntamenti di oggi.

7. Signor Marti, non (bere) .... tanti caffè, la rendono nervoso!

8. Signor Renzi, non (andarsene) ...., tra cinque minuti saranno tutti qui!

7. **Il direttore è partito per una vacanza e ha lasciato un post-it alla sua segretaria. Riscrivi le frasi usando l'imperativo indiretto.**

1. Non usare la fotocopiatrice: non funziona!
2. Non dire che sono in vacanza: di' che sono fuori per lavoro
3. Non rispondere alle mail del sig. Borghi! Lo farò io.
4. Non prendere appuntamenti nuovi: aspettami!
5. Non fare tardi in ufficio!
6. Non lavorare troppo: prenditi dei momenti di pausa!

1. ....
2. ....
3. ....
4. ....
5. ....
6. ....

8. Riscrivi il testo in blu usando la forma di cortesia.

Santa Maria delle Grazie è una tra le più belle chiese d'Italia. Oltre all'architettura di Donato Bramante, è possibile ammirare una delle più grandi opere di Leonardo da Vinci, *L'ultima cena* (o *Cenacolo*), iniziata nel 1495 e finita nel 1498.

Milano, Chiesa di Santa Maria delle Grazie

Affresco *L'ultima cena*, Leonardo da Vinci

Se vuoi visitarla, non prendere il taxi perché la chiesa non è lontana dalla stazione Centrale. Per arrivarci prendi la linea 2 (linea verde) della metropolitana e scendi, se non sbaglio, dopo cinque fermate, alla stazione Cadorna. Quando esci dalla stazione, prendi a destra Via Giosuè Carducci e vai sempre dritto fino a quando non incontri Corso Magenta. Gira a destra e segui la strada, dopo cinque minuti ti troverai la Chiesa Santa Maria delle Grazie sulla destra.

....

....

....

....

....

....

9. Completa il racconto di Gino Falorni con le parole del riquadro.

faccia • giri • mi dica • mi porti • mi scusi • se ne va • ti dispiace • vuole

HOME   CHI SIAMO   CONTATTI   FOTO GALLERY

Più avanti, per favore!

Via di Porta Pinciana. Ore 12.00. Mi ferma un signore.

«Buongiorno, (1).. in Via Veneto...» mi dice indeciso.

Parto e dopo qualche minuto arrivo a destinazione. Sto per fermarmi, ma prima che lo faccia, il signore mi dice che ha cambiato idea:

«No, senta, (2).. in Via Boncompagni e vada un po' più avanti fino all'incrocio con Via Piemonte.»

Faccio come mi chiede e arrivo a Via Piemonte, ma ecco un nuovo cambiamento di programma.

«Senta, (3).., vada un po' più avanti per favore, fino a... Piazza Fiume.»

Parto di nuovo. Arrivo a Piazza Fiume.

«Qui va bene?» chiedo

«Benissimo» mi risponde.

«(4).. per caso che vada un po' più avanti?»

«No grazie, (5).. quant'è.»

«Sicuro?» gli chiedo prima di fermarmi.

«Sicurissimo» mi conferma.

Gli dico il prezzo; e lui, questa volta, fortunatamente, paga e (6).. Pochi secondi dopo, mentre sto mettendo i soldi nella giacca, qualcuno mi chiama: «Signore, signore...»

Mi giro. C'è un ragazzo. Abbasso il vetro.

«Mi scusi» mi fa gentilmente «potrebbe venire un po' indietro, così parcheggio la macchina?»

«Come no!» gli rispondo ridendo «Però vado un po' più avanti se non (7)...!»

Il ragazzo mi guarda confuso.

«Beh... (8).. come vuole...» mi dice.

«Più avanti! Più avanti! Oggi preferisco così!»

Adattato da Racconti di un tassista romano, www.donnareporter.com

10. Scegli l'aggettivo o il pronome indefinito corretto.

1. Ha provato qualsiasi/tanti vestiti e alla fine non ne ha preso ciascuno/nessuno.

2. Signora, vuole vedere un altro/parecchio colore?

3. Altri/Tutti i giorni incontro Gianna sull'autobus, ma fa sempre finta di non vedermi.

4. Mi ha detto che avrebbe invitato alcune/nessuna persone, ma non immaginavo altre/tante.

5. Teresa ha molti/tutti libri sulla storia d'Italia nella sua libreria.

6. Allo spettacolo di ieri sera c'era poca/troppa gente. Non c'era un posto libero!

11. Completa con gli aggettivi o i pronomi indefiniti del riquadro.

nessuna • parecchi • ciascuno • tutto • pochi • tutti • nessuna • molte

1. Mia madre ha comprato i biglietti per l'Opera: uno per ....

2. Non ho .... intenzione di passare un'altra notte in questo albergo, è troppo rumoroso!

3. Apri il frigorifero e prendi .... quello che vuoi.

4. Gli ho scritto .... e-mail, ma finora non ho ricevuto .... risposta.

5. Durante il corso d'italiano ho conosciuto .... ragazzi, ma .... veramente simpatici.

6. Sono contento perché dopo lo spettacolo applaudivano ....

12. Senza cambiare il significato della frase, sostituisci le parole in blu con un altro aggettivo indefinito, secondo il modello. Consulta anche l'Appendice grammaticale.

Ho invitato alcuni amici alla festa di stasera.
Ho invitato qualche amico alla festa di stasera.

1. Diverse volte sono così stanca che mi addormento sul divano.

.... giorni sono così stanca che mi addormento sul divano.

2. Certi libri di letteratura non riesco proprio a leggerli.

.... libri di letteratura non riesco proprio a leggerli.

3. Ho regalato a Sara alcune piante per il suo giardino.

Ho regalato a Sara .... pianta per il suo giardino.

4. Voglio che tutti gli amici di Roberta vengano alla sua festa di compleanno.

Voglio che .... amico di Roberta venga alla sua festa di compelanno.

5. Oggi, non c'è nessuno studente che non abbia il cellulare.

Oggi, ... gli studenti hanno il cellulare.

6. Ora che è disoccupato, Marco è disposto a fare qualunque lavoro.

Ora che è disoccupato, Marco è disposto a fare .... lavoro.

13. Completa con i pronomi indefiniti opportuni.
Consulta anche l'Appendice grammaticale.

1. .... è contento di vederci.

2. .... può fare questo esercizio: è facile!

3. Se .... di noi dà una mano, finiremo prima.

4. Marina oltre ad essere bella ha .... di particolare che la rende simpatica a tutti.

5. Ti prego, mangia! Abbi cura di te! Sono due giorni che non tocchi ....!

6. Ho una sete tremenda, berrei volentieri .... di fresco!

7. Possiamo andare a casa mia, non c'è ...., i miei sono a teatro.

8. Nella mia compagnia alcuni giocano a calcio e .... a pallavolo.

14. Completa con la forma giusta dei verbi.

1. Luisa è un'ottima cuoca: qualsiasi cosa (fare) ...., anche in poco tempo, è sempre buono.

2. Ieri, qualcuno (telefonare) ...., ma non mi ha detto il nome.

3. Qualunque cosa (dire) .... Davide, tutti sono sempre d'accordo con lui.

4. Alfredo viene da me tutte le volte che (avere) .... un problema.

5. Chiunque (venire) .... con noi, si divertirà.

6. È importante che ciascuno di voi (arrivare) .... in orario.

15. Completa il testo della notizia che hai ascoltato e letto nelle sezioni D2 e D3 del *Libro dello studente*.

> a cui • applausi • aria • atto • costume • palco • posto • pubblico • qualche • spettacolo • tenore

Al termine dell' (1)............................ *Celeste Aida*, dell'opera di Giuseppe Verdi, per (2)..................

.... fischio, il tenore Roberto Alagna, Radames, lascia il (3)............................ .

Al suo (4)............................ è entrato in scena il secondo (5)..........................., Antonello Palombi,

vestito in abiti civili, senza avere il tempo di indossare il (6)............................ di Radames. Il primo

atto è poi finito tra gli (7)............................ e qualche fischio di disapprovazione.

Nell'intervallo tra il secondo e il terzo (8)............................ il sovrintendente, Stephane Lissner, si è

scusato di persona con il (9)..........................., ha espresso rincrescimento per l'accaduto e ha rin-

graziato il sostituto Antonello Palombi per aver consentito di proseguire lo (10)............................ .

Una considerazione (11)............................ il pubblico della Scala ha risposto positivamente. "Una

cosa così, alla Scala, non si era mai vista", ha commentato il maestro Riccardo Chailly.

16. Completa con le preposizioni.

A Roncole, (1).............. 38 km (2).............. Parma, si trova la casa dove nacque

Giuseppe Verdi, compositore di fama mondiale, la sera (3).............. 10 ottobre

1813. (4).............. stessa abitazione, di architettura povera ma molto caratteri-

stica, il padre Carlo gestiva un'osteria. L'edificio, dichiarato monumento nazio-

nale, si conserva come era allora. (5).............. 2000, (6).............. i cento anni (7)....

.... morte, lo storico edificio è stato rimesso a nuovo dall'architetto Pierluigi

Cervellati. Vicino (8)..............casa, si trova la Chiesa (9).............. San Michele

Arcangelo dove Verdi imparò (10).............. suonare e si esercitò in gioventù.

Adattato da *http://corrieredibologna.corriere.it*

17. Collega con dei connettivi le frasi date e cerca di formarne una. Se necessario, elimina o sostituisci alcune parole e trasforma i verbi nel modo e nel tempo opportuni.

1. - ho letto finalmente quel libro ....

   - Mara mi aveva parlato molto del libro ....

   - il libro non mi ha entusiasmato ....

2. - devo finire questo lavoro ....

   - mi avevano affidato questo lavoro tre mesi fa ....

   - io non l'ho ancora finito ....

3. - Giuseppe Verdi fu un compositore italiano ....

   - l'opera più famosa è l'*Aida* ....

   - mi piace moltissimo Giuseppe Verdi ....

4. - Rodolfo ha dimenticato il cellulare in macchina ....

- Rodolfo non ha saputo della festa di Serena ....

- Serena ha cercato Rodolfo tutto il giorno ....

5. - Anna parla molto bene l'italiano ....

- ho capito che Anna non è italiana ....

- Anna ha ancora un leggero accento straniero ....

6. - Tiziana non ha capito bene la lezione ....

- ho detto a Tiziana che la aiuterò ....

- io, però, ho tantissime altre cose da fare ....

18. Completa con le parole del riquadro.

> aveva visto • in • di • di cui • disse • fece • propose • sul • tornò • in

Cristoforo Colombo era stato da poco in America. (1)............................ gli Indios che avevano degli strani oggetti (2)............................ ferro. Nel loro dialetto, li chiamavano «napoletana», o «moka», che voleva dire «macchina-di-ferro-dal-nero-succo-che ti sveglia» e (3)............................ bevevano quantità incredibili. Cristoforo Colombo voleva provarlo e subito (4)............................: «Manca lo zucchero», poi (5)............................ uno scambio, e diede trecento sveglie (6)............................ cambio di tre di queste macchine.

Colombo (7)............................ in Spagna, e appena giunto alla corte della regina Isabella, la salutò con la caffettiera in mano e le (8)............................ una grossa macchia* (9)............................ vestito. La regina arrabbiata disse: «Que fais?» (cosa fai?), e da quel giorno la bevanda si chiamò Quefé e poi Caffè. Alla corte spagnola il caffè diventò subito di gran moda.

Dalla Spagna il caffè volò in Francia, dove i nobili iniziarono a berne (10)............................ gran quantità. Qui l'abate Sieyès inventò il cappuccino, che all'inizio al posto del latte aveva l'acqua.

*macchia: zona sporca su una superficie pulita.

Adattato da *Bar Sport* di Stefano Benni

19. Completa con le congiunzioni adeguate.

1. Sono venuto .... ho saputo che stavi male.

    finché   appena che   che   poiché

2. Mettiamo tutto a posto .... arrivino i miei!

    dopo che   senza che   prima che   quando

3. Da .... lavoro ho molto meno tempo libero.

    tanto   quando   mentre   appena

4. .... studiavo, ha telefonato Gianni per chiedermi di uscire.

     Dove   Comunque   Sebbene   Mentre

5. .... vivevo in Inghilterra, sentivo la mancanza del buon caffè.

     Non appena   Quando   Prima che   Dopo che

6. .... sarai così nervoso, non riuscirai a trovare una soluzione ai tuoi problemi.

     Mentre   Perché   A condizione che   Se

CD 2
7

20. Ascolta il brano e indica quali sono le affermazioni presenti.

1. Maria Callas studiò canto a New York.
2. Tornò in Grecia quando aveva dieci anni.
3. Il suo debutto ufficiale avvenne ad Atene.
4. Meneghini, suo marito, era molto più grande di lei.
5. In Italia, debuttò alla Scala di Milano
6. In America il suo valore fu riconosciuto tardi.
7. Maria Callas e Aristotele Onassis ebbero un figlio.
8. Il suo carattere, a volte, venne criticato.
9. Nel suo lavoro era molto esigente con se stessa.
10. Girò anche un film.

Test finale

A   Scegli l'alternativa corretta.

1. (1)................................ la cortesia, (2)................................ a sentire!

   (1) a) Mi fai   (2) a) mi stia
        b) Mi faccia   b) mi sta
        c) Fammi   c) mi stai

2. Signora Stefania, non (1)................................ ascolto alle critiche e (2)................................ la Sua strada!

   (1) a) dia   (2) a) segui
        b) dare   b) segue
        c) da   c) segua

3. Signor direttore, se (1)................................ volta non arrivo puntuale in ufficio non (2)................................!

   (1) a) alcune   (2) a) preoccuparsi
        b) qualche   b) si preoccupi
        c) quale   c) si preocupa

4. Ho (1)........................... problemi per la testa che mi arrabbio facilmente con (2).....................
....

    (1) a) pochi   (2) a) chiunque

        b) qualsiasi   b) uno

        c) tanti   c) certi

5. In (1)........................... città d'Italia tu vada, c'è sempre (2)............................. di interessante da vedere.

    (1) a) qualsiasi   (2) a) qualche

        b) ognuna   b) alcuni

        c) ciascuna   c) qualcosa

6. Carla, (1)........................... telefoni, io non ci sono per (2)...........................

    (1) a) chiunque   (2) a) alcuno

        b) qualunque   b) nessuno

        c) ognuno   c) ciascuno

B   Scegli la parola adeguata.

Perché amare l'Opera *di Andrea Fasoli*

Mi sono chiesto (1) nessuna/tante/tutte volte perché mi sono innamorato dell'Opera Lirica, e soprattutto come fanno (2) diverse/tutte/qualsiasi persone a non amare questa stupenda forma d'arte.

L'Opera Lirica è un vero e proprio film, spesso drammatico, alcune volte comico, con un vantaggio rispetto ai film: la trama è sempre la stessa, ma possono cambiare gli interpreti.

L'*Otello* di Verdi lo cantano da due secoli (3) tanti/pochi/altri cantanti, così come *Tosca*, *Il Barbiere di Siviglia*, e, tranne (4) troppi/pochi/qualche casi, ogni volta il pubblico prova forti emozioni.

Si può imparare ad amare l'Opera anche ascoltando un solo (5) aria/brano/testo, magari cantato non dal solito (6) tenore/compositore/maestro.

Uno dei primissimi brani che ho ascoltato, e grazie al quale ho amato l'Opera, proviene dal *Simon Boccanegra*, (7) opera/capolavoro/racconto di Verdi sconosciuta al grande (8) spettatore/palco/pubblico, ma molto apprezzata dagli appassionati.

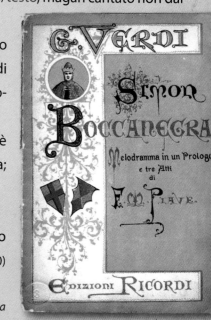

All'inizio, l'Opera ci trasmette emozioni molto intense: la figlia di Fiesco è morta, e lui è distrutto dal dolore. Verdi trasforma questo dolore in musica; lui, che (9) persi/perse/perda moglie e figli, quel dolore lo conosceva.

Ecco perché non si può non amare l'Opera.

Perché si parte da un'idea, da un brano, e si può conoscere il mondo comodamente seduti in teatro e ritornare ad imparare a sognare. (10) Quanti/Chi/Quale l'ha detto che l'invenzione più bella è la televisione?

Adattato da *www.operalibera.altervista.org/infolirica*

C   Risolvi il cruciverba.

ORIZZONTALI

3. Un noto teatro milanese.
5. La prima volta di fronte al pubblico.
6. Sport di tre lettere.
8. La facciamo per aspettare il nostro turno.
9. Il testo di un'opera lirica.

VERTICALI

1. Il calcio, ma con squadre di cinque giocatori.
2. Spazio dove stanno gli attori o i cantanti durante lo spettacolo.
3. Alla fine dello spettacolo, per esprimere la propria approvazione e soddisfazione il pubblico fa un lungo...
4. Il contrario di *destra*.
7. Luciano Pavarotti è stato un famoso ... italiano.

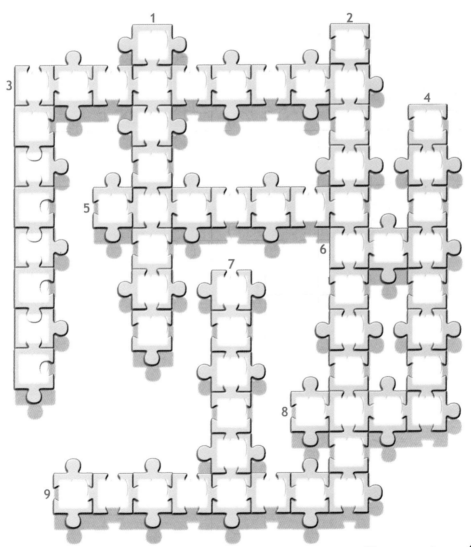

Risposte giuste .... /32

Attività Video - episodio *A scuola di canto*

Per cominciare...

1 Guarda i primi 30 secondi dell'episodio. Gianna e Lorenzo camminano per Milano. Quali dei luoghi e dei monumenti riconosci in questa prima parte dell'episodio?

☐ Navigli   ☐ Basilica di S. Ambrogio   ☐ Teatro alla Scala

☐ Castello Sforzesco   ☐ Galleria Vittorio Emanuele   ☐ Piazza del Duomo

2 Di seguito trovi alcune battute dell'episodio. Puoi indovinare se sono di **Lorenzo (L)** o di **Gianna (G)**? Inoltre, fai un'ipotesi su cosa succederà in seguito.

☐ 1. Guarda, questa tua passione per il canto lirico io proprio non la capisco.

☐ 2. Senti che bella atmosfera!

☐ 3. Non dicevi che la lirica non ti piaceva?

☐ 4. Un CD di lirica ce l'ho pure io, a casa ...

☐ 5. Adesso ho capito quest'improvvisa passione per la lirica!

☐ 6. Lascia perdere, guarda!

Guardiamo

1 Guarda l'episodio e verifica le ipotesi fatte precedentemente.

2 Osserva alcune scene tratte dall'episodio e mettile in ordine.

Facciamo il punto

Rispondi alle domande.

1. Perché Gianna va in un istituto musicale?

2. Cosa pensa Lorenzo della musica lirica?

3. Cosa fa Lorenzo quando Gianna va in segreteria?

4. Secondo Gianna, perché Lorenzo non potrà "conquistare" la cantante?

2° test di ricapitolazione (unità 4, 5 e 6)

A **Scrivi i verbi alla forma giusta.**

Andai a trovare Danilo dopo molti anni dal nostro ultimo incontro. La figlia (1. dirmi) ....
.... che mi aspettava. Quando (2. entrare) ...., (3. trovarlo) ....
.... in terrazza che leggeva il giornale. Appena (4. vedermi) .... non (5. sor-
ridere) .... e non (6. alzarsi) .... Mi disse solo che era contento di
rivedermi e mi offrì un caffè. Dopo che mi (7. guardare) .... a lungo e con attenzione, solo allora (8. capire, io) .... che mi aveva scambiato per suo cugino Sergio.

.... /8

B **Completa con la forma giusta dei verbi dati.**

1. Temo che (stare) .... per nevicare.
2. Sebbene (conoscerti, io) .... solo da poco, posso dire che sei un bravo ragazzo.
3. Credo che Giovanna (ritornare) .... da qualche giorno.
4. Mi auguro che non (accadergli) .... qualcosa di brutto, non mi telefona da due
   giorni.
5. Mi dispiace che loro (interpretare) .... male le nostre parole.
6. È impossibile che Alessandra non (sapere) .... niente di questo fatto.

.... /6

C **Completa le frasi con i verbi alla forma giusta e la congiunzione corretta negli spazi rossi.**

a patto che • prima di • sebbene • prima che • perché • benché

1. Non capisco mai bene quello che dice, ... lui (parlare) ....
   lentamente.
2. Devo assolutamente vederti, ... tu (partire) ....!
3. Andremo in quel ristorante .... (pagare) .... voi!
4. L'avvocato Blasi saluta sempre tutti .... (uscire, lui) ....
   dall'ufficio.
5. Ripeto anche a te quello che ho detto ad Alfredo .... (essere) ....
   .... chiaro a tutti voi come dovete comportarvi domani!
6. .... Mauro non (stare) .... bene tutta la scorsa settimana,
   oggi parte per la settimana bianca.

.... /12

D Completa i mini dialoghi con le parole date.

rappresenti • abbia voluto • l'abbia pagata • veramente

1. ● Ti piace la mia macchina? L'ho pagata 10 mila euro di seconda mano.

   ● Sì, è molto bella! Ma credo che tu .... troppo!

2. ● Bello questo quadro, lo compreresti?

   ● Sì, è .... bello, ma a dire la verità non capisco cosa ....

   ● Io penso che il pittore .... rappresentare la solitudine.

   .... /4

E Completa con i verbi alla forma giusta.

1. Signorina, la prego, (farmi) .... parlare con il direttore!

2. Signor Vitale, (stare) .... attento, non (avvicinarsi) .... troppo a quel cane!

3. Signora Carla, (sedersi) ....! Il dottore L'aspetta!

4. Se pensa di far prima, (chiamare) .... pure un taxi!

5. Signora Claudia, (rilassarsi) ....; non è successo niente di grave!

6. La prego, (dirmi) .... almeno se c'è un posto sul prossimo aereo.

   .... /7

F Completa le seguenti frasi con gli indefiniti.

1. A pranzo non ho mangiato .... e ora ho una fame da lupi!

2. Di .... cosa avrai bisogno, rivolgiti pure a me!

3. .... cerca di risolvere i suoi problemi come meglio può.

4. Dopo .... chilometro ci siamo accorti di aver sbagliato strada!

5. Direttore, ci sono .... signori che dicono di avere un appuntamento con Lei.

6. È proprio un ragazzo fortunato: ha ...., non gli manca proprio ....!

   .... /7

Risposte giuste (........ /44)

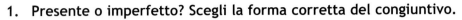

1. Presente o imperfetto? Scegli la forma corretta del congiuntivo.

1. Penso che Paola torni/tornasse per pranzo, non credo si sia fermata in ufficio.

2. Credeva che voi abbiate/aveste ragione, ma si sbagliava.

3. Mi sembrava che Andrea sia/fosse tuo amico.

4. Non mi aspettavo che Lucia e Maria vadano/andassero a vivere in Italia, ho sempre pensato che vogliano/volessero abitare in Francia.

5. Per noi quest'estate è meglio che facciamo/facessimo il giro del Sud Italia. Ci hanno detto che il Meridione è bello.

6. Temo che Carlo lavori/lavorasse anche questo sabato e non possiamo/potessimo venire con voi in campagna.

2. Trasforma i verbi in blu al congiuntivo imperfetto e completa il dialogo tra Daniela e Teresa, la moglie di Tommaso.

Teresa: Ciao Daniela! Come va?

Daniela: Bene. E tu? ... Lo sai che qualche giorno fa ho incontrato Tommaso? Mi ha detto che vuole cambiare casa.

Teresa: Sì, l'ho scoperto da poco anch'io. Non immaginavo proprio che (1)..................................... farlo.

Daniela: Beh, a me ha detto che non è per niente contento della zona in cui abitate.

Teresa: Lo so, l'ha detto anche a me. Ma all'inizio non sembrava che (2)..................................... scontento.

Daniela: Figurati che dice che ci mette mezz'ora per trovare parcheggio.

Teresa: Ah, davvero? Non sapevo che (3)..................................... così tanto tempo.

Daniela: Ha detto che siete tutti d'accordo.

Teresa: Certo, lui credeva che (4)..................................... tutti d'accordo, ma io non ho voglia di cambiare ancora una volta casa.

Daniela: Beh, forse pensava che vi sarebbe piaciuto a tutti. Non credo che voglia decidere da solo.

Teresa: Sì, forse. Ma sarebbe ingiusto se (5)..................................... solo lui; dovremmo almeno parlarne prima.

Daniela: Certo che, se vi trasferite in una bella casa in campagna, potrai avere un giardino, un cucciolo e vivere a contatto con la natura!

Teresa: Sì, è vero, ma la scelta migliore sarebbe che (6)..................................... in una zona di campagna ben collegata alla città grazie ai treni. Sai che non mi piace guidare.

3. Completa con il congiuntivo imperfetto.

1. Credevo che qui (fare) .... la migliore pizza della città, ma non mi sembra tanto buona.
2. Speravo che Costanza (venire) .... prima delle due, ma probabilmente avrà incontrato traffico.
3. All'inizio, sembrava che (potere) .... essere una serata interessante, poi, invece, ci siamo annoiati da morire.
4. Era difficile che Sofia ci (dire) .... la verità, è la migliore amica di nostra figlia, con noi sarà sempre diffidente.
5. Ho avuto l'impressione che loro (stare) .... poco bene: erano così silenziosi.
6. Vorrei che glielo (dare) .... tu il regalo: lo conosci meglio di me.

4. Completa con il congiuntivo trapassato.

1. Avevo l'impressione che (sbagliare) .... strada e infatti, dopo mezz'ora ci rendemmo conto che ci eravamo persi.
2. Mi pareva che Gina (andare) .... a Milano in vacanza, invece era andata ad un convegno per lavoro.
3. Non immaginavamo che lo spettacolo (durare) .... così tanto: per quello eravate così in ritardo!
4. Pensava che quel libro non mi (servire) ...., invece era uno di quelli che avevo consultato di più.
5. Ci sembrava che loro (partire) .... in aereo, invece erano andati in treno.
6. Credevo che mi (dare, tu) .... appuntamento per le sette, non per le sei.

5. Unisci la prima con la seconda colonna e completa le frasi con i verbi al congiuntivo trapassato.

andare • capire • finire • mandare • partire • uscire

1. Non sapevo che Paola .... già ....,
2. Sapevo che eri stato in vacanza,
3. Non immaginavamo che il film .... così presto,
4. Luana credeva che il mazzo di fiori
5. Se ieri sera non ....,
6. Era incredibile che loro non .... come arrivare a casa nostra:

a. ma mi sembrava che tu .... in Spagna e non in Olanda.
b. glielo .... io e non tu.
c. glielo avevamo spiegato cento volte!
d. mi sarei riposato e ora non sarei così stanco.
e. altrimenti non l'avrei chiamata.
f. altrimenti saremmo venuti a prendervi al cinema.

6. Completa con il congiuntivo presente o imperfetto.

1. Credevo che alla Facoltà di Lingue non si (studiare) ....
.... tanto, ma dopo il primo esame ho capito che mi sbagliavo.

2. Non sapevo che per te (essere) .... così importante
questo viaggio.

3. Nonostante (piovere) ...., esco a fare una passeggiata.

4. I genitori vogliono che (fare) .... l'università, ma Giovanni non ha nessuna voglia di continuare a studiare.

5. A mia moglie, qualunque appartamento (vedere) ...., un po' fuori città, non le
andava bene. Era chiaro: voleva che (continuare) .... ad abitare con i suoi.

6. • Pronto? Antonio, dove siete? Avete deciso di non venire?
   • Niente affatto! Aspettiamo che (arrivare) .... la baby sitter e usciamo.

7. Completa con il congiuntivo presente, passato, imperfetto o trapassato.

1. Sapevo che cercavi una casa da comprare, ma non pensavo
che (volere) .... una villa in mezzo al verde.

2. Avevo paura che non (capire) .... quanto gli avevamo detto, invece conoscevano benissimo la lingua italiana.

3. Siamo felici che tu e Stefano (arrivare) ....
presto nonostante il traffico.

4. Siete andati a vedere quel film che vi avevo consigliato? Spero che vi (piacere) ....

5. Pensavo che glielo (dire) .... tu a Loredana, per questo io non ho detto niente.

6. Non ho fatto la spesa, ma spero che a casa (esserci) .... qualcosa da mangiare.

8. Completa con il modo e il tempo opportuni.

1. Già negli anni '70 gli ambientalisti dicevano che il pianeta (avere) .... seri problemi ecologici, ma molti credevano che (essere) .... troppo pessimisti!

2. Ci pareva strano che Nicola non (telefonare) ...., ma non potevamo immaginare che gli (rubare) .... il cellulare.

3. Non vi abbiamo invitato perché pensavamo che non (venire) ....

4. Non mi sembra vero! È possibile che dopo due giorni di sciopero le strade (essere) ....
.... già piene di rifiuti?

5. Quando Mario vide l'appartamento non poteva credere che
(costare) .... così poco.

6. Quando abbiamo comprato quella casa, non potevamo imma-
ginare che il nostro quartiere (trasformarsi) ....
in uno dei più caotici della città.

9. Completa gli annunci con le parole date. Poi collega ogni persona descritta (a-d) all'annuncio (I-IV) e all'immagine (1-4) corrispondente, come nell'esempio dato.

abitabile - cottura - doccia - mq - posto - vista - zona - servizi

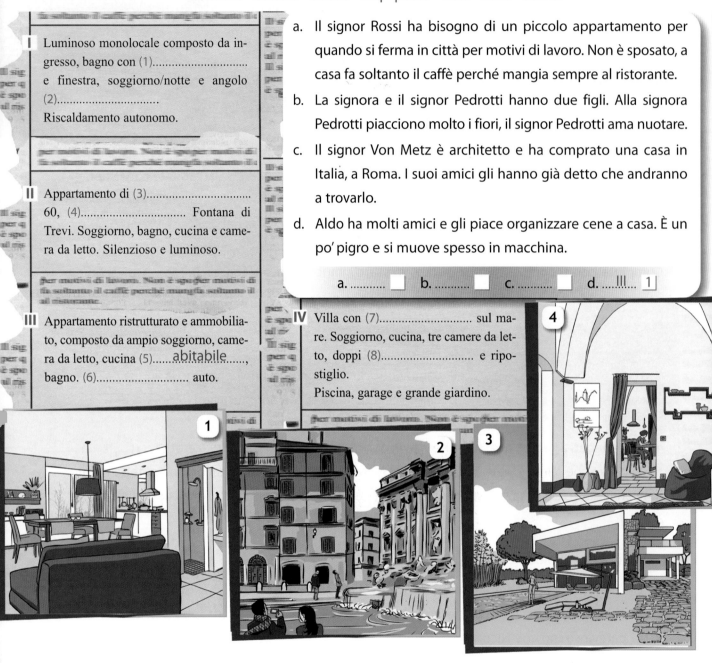

I Luminoso monolocale composto da ingresso, bagno con (1).............................. e finestra, soggiorno/notte e angolo (2)............................. Riscaldamento autonomo.

II Appartamento di (3)............................... 60, (4)............................. Fontana di Trevi. Soggiorno, bagno, cucina e camera da letto. Silenzioso e luminoso.

III Appartamento ristrutturato e ammobiliato, composto da ampio soggiorno, camera da letto, cucina (5)......abitabile......, bagno. (6)............................. auto.

IV Villa con (7)............................. sul mare. Soggiorno, cucina, tre camere da letto, doppi (8)............................. e ripostiglio.
Piscina, garage e grande giardino.

a. Il signor Rossi ha bisogno di un piccolo appartamento per quando si ferma in città per motivi di lavoro. Non è sposato, a casa fa soltanto il caffè perché mangia sempre al ristorante.

b. La signora e il signor Pedrotti hanno due figli. Alla signora Pedrotti piacciono molto i fiori, il signor Pedrotti ama nuotare.

c. Il signor Von Metz è architetto e ha comprato una casa in Italia, a Roma. I suoi amici gli hanno già detto che andranno a trovarlo.

d. Aldo ha molti amici e gli piace organizzare cene a casa. È un po' pigro e si muove spesso in macchina.

a. .... ☐   b. .... ☐   c. .... ☐   d. ....III... 1

10. Completa con il congiuntivo o l'indicativo.

1. Non immaginavo che (avere, tu) .... l'età per andare in pensione.

2. Mentre (parlare, io) .... con il cliente, è entrata Silvia nel negozio.

3. Era strano che Gloria (andarsene) .... senza salutare nessuno, neppure Francesco.

4. Quando Anna era piccola, anche se le (piacere) .... vivere in campagna preferiva la città perché (avere) .... più amiche.

5. Era naturale che a Ferragosto non si (trovare) .... nessuna camera libera a Capri!

6. Con tutta la gente che tornava dalle vacanze, era logico che in autostrada (esserci) .... un traffico indescrivibile.

11. Completa le frasi scegliendo l'elemento corretto. Consulta anche l'Appendice grammaticale.

1. Studiava così poco che ho sempre dubitato che .... finire l'università; invece poi si è laureato con ottimi voti.

   a. potesse   b. avesse potuto   c. potrebbe   d. poteva

2. .... che partissero tutti insieme, perché avrebbero potuto dividere le spese del viaggio in macchina.

   a. Era peggio   b. Era preferibile   c. Era difficile   d. Era un peccato

3. .... il ministro avesse deciso di incrementare i mezzi di trasporto extraurbano, ma dopo qualche giorno si è capito che era una falsa notizia.

   a. Bisognava che   b. Era chiaro che   c. Aspettavano che   d. Dicevano che

4. Non mi sembrava normale che Daniela .... ogni giorno la febbre.

   a. aveva avuto   b. abbia avuto   c. avesse   d. avrebbe

5. .... credere che Paolo avesse guidato tutto il giorno per essere presente al mio matrimonio.

   a. Era un peccato   b. Era difficile   c. Era necessario che   d. Era probabile

6. Tutti .... che Lorenz venisse con noi.

   a. dicevamo   b. speravamo   c. sapevamo   d. faceva piacere

12. Associa le frasi scegliendo la congiunzione corretta. Consulta anche l'Appendice grammaticale.

1. Le ore passarono	nel caso in cui	a. chiudano.
2. Ci guardò	malgrado	b. non avesse capito quello che dicevamo.
3. Le lasciò la macchina	affinché	c. ce ne accorgessimo.
4. Non ha mangiato niente	senza che	d. avesse voluto tornare prima a casa.
5. Li accompagnai	prima che	e. avesse fame.
6. Vada in segreteria	come se	f. arrivassero in tempo alla stazione.

13. Completa con il verbo al congiuntivo negli spazi blu e con i connettivi dati negli spazi rossi.

come se • prima che • a condizione che • a meno che • benché • affinché • senza che

1. Gli studenti parteciparono volentieri alla Giornata in bicicletta .... (esserci) .... il bisogno di insistere.

2. Ti lascio la lista della spesa ....
(andare) .... tu al supermercato quando torni dal lavoro.

3. .... Roberto non (essere) ....
.... mai .... a Milano, si muoveva ....
.... ci (nascere) ....

4. Vi posso accompagnare io, ...
non (chiamare) .... già .... un taxi.

5. Mirco accettò di venire con noi al mare ....
.... ci (andare) .... con
la sua macchina.

6. Fabio, se ce la fai, compra lo shampoo .... (chiudere) ....
la farmacia.

14. Completa le frasi secondo il modello. Consulta anche l'Appendice grammaticale.

vorrei • più bello che • Chiunque • ovunque • l'unico che • Qualunque

Era il più preparato e quindi anche il solo che (potere) potesse dire qualcosa.

1. Le tue parole sono state il premio .... (potere, io) .... ricevere.

2. .... cosa Giulia (decidere) ...., noi saremo sempre d'accordo
con lei.

3. Conosce molto bene questi luoghi ed è .... (essere) .... in grado di arrivare al paese più vicino.

4. Signorina, ... che (inviare) .... questi inviti subito, è urgente!

5. .... (raccontare) .... quelle cose, diceva soltanto bugie.

6. Potevo vivere .... (esserci) .... sole e mare, ma alla fine ho scelto il sole e il mare della Sicilia.

15. Completa le frasi con la forma giusta dei verbi dati.

1. L'esame era stato più facile di quanto (immaginare, noi) ....

2. Cerco una casa in campagna che (avere) .... una grande cucina, come
quelle di una volta.

3. Antonella vorrebbe sapere se anche tu (venire) .... al concerto jazz.

4. Dici che non è successo niente: magari (avere, tu) .... ragione. Io sono molto preoccupato.

5. Che Guido (essere) .... simpatico lo sapevo, ma non immaginavo che (raccontare) .... storie così divertenti.

6. Mi chiedo se la festa (essere) .... meglio organizzarla venerdì o sabato. Tu cosa dici, Tiziana?

16. Completa con il modo e il tempo adeguati.

1. Quando ho aperto la borsa, mi sono accorto che qualcuno mi (rubare) .... il cellulare.

2. Sebbene Piero (fare) .... un errore, merita sempre la nostra amicizia!

3. Anche se (andare) .... di fretta, avresti potuto almeno salutare.

4. Scusatemi, ragazzi! Pensavo di (finire) .... prima, ma c'era un sacco di lavoro!

5. Speravo che Luisa (accettare) .... il mio invito, desidero tanto (uscire) .... con lei.

6. Lilli, era meglio che tu (aspettare) .... ancora un po' prima di andare via! In certe situazioni bisogna (avere) .... pazienza!

17. Inserisci nel testo le espressioni date.

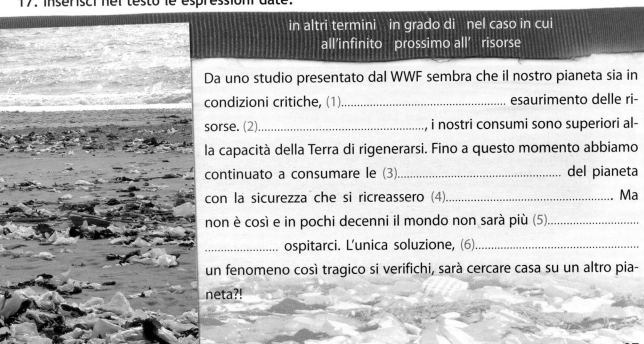

in altri termini   in grado di   nel caso in cui
all'infinito   prossimo all'   risorse

Da uno studio presentato dal WWF sembra che il nostro pianeta sia in condizioni critiche, (1)... esaurimento delle risorse. (2)..., i nostri consumi sono superiori alla capacità della Terra di rigenerarsi. Fino a questo momento abbiamo continuato a consumare le (3)... del pianeta con la sicurezza che si ricreassero (4)... Ma non è così e in pochi decenni il mondo non sarà più (5)... .... ospitarci. L'unica soluzione, (6)... un fenomeno così tragico si verifichi, sarà cercare casa su un altro pianeta?!

18. Scegli l'elemento corretto e completa il racconto.

In quella primavera ormai giunta alla fine avevamo avuto temperature record, segno, senza dubbio, dell'effetto serra. Anche quel sabato pomeriggio faceva così caldo che ....(1) camminasse sui marciapiedi di Torino, era costretto a fermarsi per bere un po' d'acqua, possibilmente fresca. Quella difficile situazione era divenuta insopportabile anche in altre città d'Italia. Alessandro ....(2) per Corso Regina Margherita, appena dietro i Giardini Reali, e con quel caldo pensava all'ultima ora di lezione, nel giardino della scuola, con il professore di ecologia. Dopo che l'insegnante ....(3), inutilmente, di cominciare un discorso sull'inquinamento, non vedendo alcun interesse da parte degli studenti, aveva rinunciato e si era seduto lasciando gli studenti ai loro giochi.

Alessandro, al contrario, preferì fare compagnia al prof.

«Alessandro, perché non ti unisci ai tuoi compagni?» gli aveva domandato il docente.

«Se non la disturbo, ...(4) parlare un po' con lei» gli aveva detto Alessandro.

«Di cosa vuoi parlarmi?»

«Cosa ne pensa dell'....................................(5)?» aveva iniziato Alessandro.

«È una domanda complessa...»

«È possibile una via d'uscita? Cosa possiamo fare?» chiese Alessandro.

«Si potrebbe fare molto, ma poca è la volontà. La gente preferisce comprare cellulari sempre più moderni, cambiare automobile ....(6) fosse un paio di scarpe, mangiare fino a scoppiare, piuttosto che pensare al bene del pianeta. Naturalmente, parlo in generale.»

«Secondo lei, dunque, dovremmo fermare lo sviluppo, il progresso?»

«No, ...(7) pensare ad un altro tipo di crescita, più rispettosa dell'ambiente, più eco-sostenibile. Non possiamo immaginare un futuro basato sul petrolio e il carbone. ... Il nostro avvenire dovrà basarsi sul sole, sul vento.» L'insegnante di ecologia era totalmente preso da quel discorso.

«Certo!» disse il ragazzo. «Le ....(8) rinnovabili, se usate bene, potrebbero portare ricchezza anche nei Paesi che ancora non l'hanno conosciuta. Dovrebbe essere un dovere dei Paesi industrializzati creare un mondo più democratico, dove tutte le case hanno pannelli fotovoltaici* che producono energia. Un mondo dove i grandi aiutano i piccoli a crescere. Certo, come dicono in tanti, questo rinnovamento ....(9) moltissimo, ai cittadini, alle industrie, agli stati. Ma, alla fine, sono più importanti i soldi o il mondo?» Alessandro guardava il professore negli occhi.

*pannelli fotovoltaici

«Sei veramente un ragazzo eccezionale. Sarebbe bellissimo immaginare quello che hai detto e potrebbe, forse, anche divenire realtà, se ....(10) governano la Terra lasciassero spazio ai giovani.» Il professore aveva fatto una pausa, mentre si puliva gli occhiali. «In questo modo, se utilizziamo le risorse rinnovabili, si potrebbe sperare in una diminuzione delle ....(11). Ma non dobbiamo aspettare molto, dobbiamo agire subito. Bisognerebbe partire con l'insegnamento dell'ecologia in tutte le scuole, ridurre i consumi di elettricità, gas e acqua, e diffondere la buona cultura ....(12). Solo così potremmo creare quel mondo democratico ....(13) hai parlato. Fino a quando ci sono persone che ignorano il problema» e indicò gli studenti che ridevano e scherzavano lì vicino, «questo progetto di pianeta più pulito non si potrà mai realizzare.»

«Gli ……………………………….(14) di domani!» aveva esclamato il ragazzo, con ironia.

Il docente si era alzato in piedi ed osservava il cortile della scuola.

«Prof, un'ultima domanda» disse Alessandro. «Chi può convincere questa gente della serietà del problema, cosa può cambiare questa situazione di degrado?»

«La politica. La politica può motivare le persone a cambiare e pensare al proprio futuro e a quello dei loro figli.»

Alessandro era rimasto stupito, il suo prof aveva ragione.

Adattato da D. Oberoffer, Una conversazione sull'ecologia (www.ewriters.it)

1. chiunque - ognuno - qualsiasi - qualunque
2. ebbe camminato - camminasse - stava camminando - stava per camminare
3. cercò - cercasse - cercava - ebbe cercato
4. ho voluto - volessi - vorrei - voglia
5. riciclare - effetto serra - aria condizionata - abitare in campagna
6. come se - benché - affinché - a meno che
7. anche se - è meglio che - prima di - bisogna
8. energie - conseguenze - città - aziende
9. costava - costerebbe - costasse - è costato
10. quello che - tutti che - coloro che - qualunque
11. capacità - piogge - temperature - montagne
12. ambientale - teatrale - economia - globale
13. che - dove - di cui - per il quale
14. adolescenti - adulti - alberi - ambienti

NUCLEARE PULITO

CHI PIU' AL SICURO DI ME ?

CD 2
11

19. Ascolta il brano e indica l'affermazione giusta.

1. Il WWF	a. non è la più grande associazione ambientalista del pianeta
	b. cerca di fermare la distruzione del pianeta
	c. costruisce un nuovo mondo naturale
	d. protegge soltanto gli animali in via di estinzione

2. Il WWF fu fondato	a. da un naturalista, un re, una regina e un pittore
	b. da un biologo e un pittore
	c. da un chimico e un pittore
	d. dal principe Filippo di Edimburgo e un pittore

3. Il WWF porta avanti oltre 1.200 progetti	a. in Italia
	b. nel mondo
	c. per la difesa degli animali
	d. per la protezione del mare

20. Completa con le preposizioni semplici o articolate.

a. L'associazione *Earth Day Italia* organizza oggi (1)................. Milano un grande concerto live (2)................. festeggiare la Giornata della Terra. (3)................. palco insieme per la prima volta Fiorella Mannoia e Khaled, cantante algerino (4)................. pop rai. Quest'anno i Paesi coinvolti sono 175 e il concerto sarà preceduto da una maratona web, (5)................. cui saranno trasmessi originali video (6)................. raccontare la Giornata della Terra (7)................. ogni angolo del pianeta. I biglietti per il concerto sono (8)................. vendita su *www.ticketone.it* e i soldi andranno (9)................. sostenere i progetti green di *Earth Day Italia*. Il concerto sarà anche trasmesso in streaming (10)................. sito dell'associazione.

Adattato da *www.mainfatti.it/Giornata-della-Terra*

b. Clima caldissimo ancora (1)................. un paio di giorni. Infatti (2)................. lunedì e martedì le temperature diminuiranno (3)................. 3-4 gradi. Sarà (4)................. merito (5)................. temporali che colpiranno soprattutto il Centro e il Nord Italia. Ma chi andrà (6)................. ferie in agosto non dovrà preoccuparsi. (7)................. metà settimana la bella stagione tornerà (8)................. la gioia dei tanti che passano le ferie al mare.

Adattato da *la Repubblica*

Test finale

A Scegli l'alternativa corretta.

1. Credevamo che (1)........................., non immaginavamo (2)........................ ancora qui!
   (1) a) foste già partiti
       b) siate già partiti
       c) partireste
   (2) a) di trovarvi
       b) che mi trovaste
       c) trovare

2. Secondo Luigi, l'iniziativa "Spiagge pulite" (1)........................ il prossimo fine settimana; io invece credo che (2)........................ domani, venerdì.
   (1) a) si tenga
       b) si terrà
       c) tenersi
   (2) a) si facesse
       b) si fa
       c) si faccia

3. (1)........................ Carlo non avesse voglia di andare in ufficio, è dovuto andarci perché (2)........................ finire un lavoro per il giorno dopo.
   (1) a) Nel caso
       b) Come se
       c) Sebbene
   (2) a) bisognava
       b) era bene
       c) probabilmente

4. Chi poteva immaginare che la temperatura (1)........................ tanto in questi giorni? Che ne dici: (2)........................ in spiaggia?
   (1) a) saliva
       b) salisse
       c) sia salita
   (2) a) andiamo
       b) andremmo
       c) andassimo

5. (1)........................... aver ritrovato il mio cane. Non pensavo che (2)........................... trovare la strada di casa da solo.

    (1) a) Sono felice di   (2) a) possa
         b) Sono contento che   b) potesse
         c) Sono certo   c) abbia potuto

6. Le (1)........................... sempre dei fiori perché voleva che (2)........................... di lui.

    (1) a) mandi   (2) a) si accorgesse
         b) mandassi   b) si accorgeva
         c) mandava   c) si accorga

B **Inserisci le parole date negli spazi rossi e coniuga i verbi fra parentesi negli spazi blu.**

vendere • piste ciclabili • ognuno • raccolta differenziata • elettrica

PER UN MONDO MIGLIORE

Aldo_92   Quote

Secondo me, sarebbe meglio che tutti noi (1. smettere) .... di usare le automobili.

Mi piace 2

FRANCO   Quote

Aldo_92, hai proprio ragione: io penso di (2)................................... la mia macchina e comprare una bicicletta (3)...................................

Mi piace 1

Ecologista   Quote

Secondo me, (4. essere) .... molto importante cosa fa ciascuno di noi per l'ambiente. Molti pensano che la colpa (5. essere) .... solo delle industrie o dei politici.

Mi piace 3

Elsa_2011   Quote

Pienamente d'accordo con Ecologista. Non dobbiamo dimenticare la responsabilità di (6)................................... di noi: è giusto che tutti (7. riciclare) .... i rifiuti e facciano la (8)....................................

Mi piace 0

Roberto   Quote

Potremmo creare delle (9)..................................., nonostante questa soluzione mi (10. sembrare) .... difficile da realizzare, perché nessuno (11. volere) .... rinunciare alle proprie comodità.

Mi piace 2

Natura   Quote

Sì, tutte le proposte mi sembrano buone. Ma non vorrei che (12. fare) .... l'errore di credere che possiamo fare tutto da soli. È necessario che i governi (13. prendere) .... importanti decisioni e facciano scelte radicali.

Mi piace 3

C   Risolvi il cruciverba.

ORIZZONTALI

1. Mezzo di trasporto a due ruote che non inquina.
3. Riutilizzare la carta, il vetro, le lattine di alluminio, ecc.
5. Un appartamento arredato.
6. Un sinonimo di *muoversi*, *cambiare posto*.
8. Agenzia che vende e affitta case e appartamenti.
9. Li leggiamo se vogliamo prendere in affitto un appartamento.
10. Zona della città dove non possono entrare né le auto né le moto, ma soltanto le persone a piedi.

VERTICALI

1. Così è... anche chiamata la nostra Italia.
2. Azienda agricola che ospita anche turisti.
4. Il contrario di *sprecare*.
7. Causa l'aumento della temperatura sul nostro pianeta: l'effetto ...

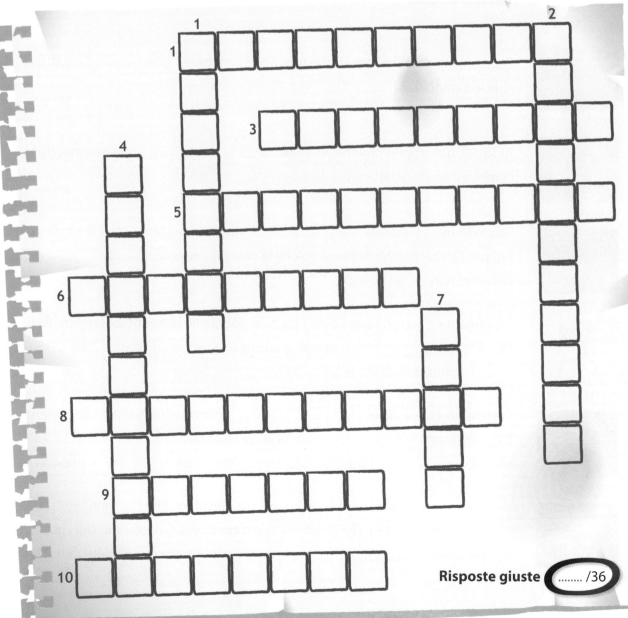

Risposte giuste .... /36

Attività Video - episodio *Che aria pulita!*

Per cominciare...

1 Guarda i primi 30 secondi senza audio. A coppie, descrivete la situazione. Cosa potete capire dall'espressione dei due protagonisti? Cosa prevedete che succederà nel corso dell'episodio?

2 Abbina le parole alle immagini.

   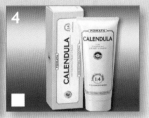

a. ape   b. pomata   c. miele   d. cavallo

Guardiamo

1 Guarda l'intero episodio e verifica le ipotesi fatte.

2 Rispondi alle seguenti domande.

1. Da bambino, Lorenzo ha scoperto di avere un problema. Quale?
2. Che differenza c'è tra l'atteggiamento di Lorenzo e quello di Gianna mentre visitano l'agriturismo?
3. Cosa chiede Lorenzo al proprietario dell'agriturismo? Perché Gianna lo interrompe?

Facciamo il punto

Osserva le immagini e le battute e scegli l'alternativa giusta.

1. Lorenzo usa l'espressione evidenziata per dire che...:
   a. non ha voglia di andare in campagna
   b. non gli piace la campagna

A me la campagna poi non è che...

Altro che aria pulita!

2. Lorenzo usa l'espressione evidenziata per dire che...:
   a. l'aria non è per niente pulita
   b. l'aria è anche troppo pulita

Lorenzo, sei il solito guastafeste!

3. Gianna usa l'espressione evidenziata per dire che...:
   a. Lorenzo rovina sempre tutto
   b. Lorenzo non è stato gentile

1. **Rispondi alle domande formulando dei periodi ipotetici di 1° tipo.**

1. ● Dove andrai in vacanza?

   ● Se (avere) .... i soldi, (fare) .... il giro della Sicilia.

2. ● Vuoi un altro caffè?

   ● Se ne (bere) .... un altro, non (dormire) .... tutta la notte.

3. ● Quando arrivate, dove andrete?

   ● Se (arrivare) .... di notte, (andare) .... direttamente in albergo.

4. ● Verrai in montagna? Sai, forse verrà anche Claudio!

   ● Se (esserci) .... anche lui, (venire) .... sicuramente.

5. ● Verrete questa sera a cena da noi?

   ● Se la baby sitter non (avere) .... impegni, (venire) .... senz'altro.

6. ● Comprerai lo yogurt che mi piace tanto?

   ● Se (andare) .... al supermercato, lo (comprare) .... sicuramente.

Etna

2. **Completa secondo il modello.**

> Se domani vai al cinema, (venire) vengo con te.
> Se andassi al cinema, mi (piacere) piacerebbe venire con te.

Il commissario Montalbano

1. Se avete tempo, stasera (venire) .... da noi per guardare insieme Montalbano in TV?

   Se avessi tempo, (venire) .... volentieri con voi allo stadio.

2. Se mi invita a cena, (accettare) .... volentieri: mi diverto sempre con lui.

   Se mi invitasse a cena, (accettare) .... volentieri, ma credo che stasera abbia un impegno.

3. Se parla con Gianni, forse lui (potere) .... aiutarla.

   Se parlasse con i suoi, forse (potere) .... aiutarla.

4. Quando siamo in vacanza, se il mare non è freddo, (fare) .... il bagno tutti i giorni.

   Se il mare non fosse così freddo, Katia (fare) .... volentieri il bagno.

5. Se Anna, nel pomeriggio, va al supermercato, le (chiedere) .... di comprarmi il caffé.

Se Anna andasse al supermercato, le (chiedere) .... di comprarmi il caffè.

6. Francesco, se fa bel tempo, questo fine settimana (andare) .... al mare?

Se facesse bel tempo, (andare, noi) .... al mare.

3. **Completa con il periodo ipotetico di 1° e di 2° tipo e fai il test.**

SEI DIPENDENTE DALLA TECNOLOGIA?

1. Se (accendere) .... il computer e (notare) .... che non c'è connessione a Internet
   a. ti annoi e non sai cosa fare
   b. ti preoccupi solo se aspetti una mail importante
   c. finalmente puoi dedicarti ai tuoi passatempi

2. Se (andare) .... su un'isola deserta, porteresti
   a. il tuo computer
   b. il lettore di e-book
   c. qualcosa da mangiare

3. Se (piovere) ....
   a. inviti gli amici per giocare alla Wii
   b. guardi un film alla televisione
   c. finisci quel libro che hai iniziato tempo fa

4. Se improvvisamente ti ricordassi di un vecchio compagno di scuola
   a. lo (cercare) .... su Facebook
   b. gli (telefonare) ....
   c. gli (scrivere) .... una lettera al suo indirizzo che hai conservato nell'agenda

5. Se alla posta hai il numero 284 e ora è il turno del numero 200
   a. (giocare) .... a un videogioco
   b. (ascoltare) .... musica con il tuo iPod
   c. (leggere) .... una rivista

6. Se (accorgersi) .... di avere qualche soldo in più, (comprare) ....:
   a. l'ultimo modello di computer; il tuo è vecchio: l'hai comprato sei mesi fa
   b. un motorino
   c. una bici per fare delle passeggiate

Se hai più risposte A

La tua è una vera dipendenza: non puoi vivere senza computer e cellulare. Attenzione: rischi di perdere il contatto con la realtà.

Se hai più risposte B

Usi Internet, e la tecnologia in genere, nella giusta misura. Pensi che sia utile, ma che si possa farne benissimo a meno qualche volta.

Se hai più risposte C

Non sei assolutamente dipendente dalla tecnologia: per te la vita è solo quella reale. Al giorno d'oggi, però, un po' di tecnologia può essere utile.

4. Completa con le espressioni date nel riquadro.

> Ma che schifo! • Questa sì che • Brava • Congratulazioni! • Ma non si può andare avanti così!

1. • Io e Tommaso ci sposiamo il mese prossimo. • ....

2. • Ce l'ho fatta! Ho superato l'esame di Fisica. • .... Sandra!
   Sono contento per te.

3. • Ieri mi hanno preso la bicicletta. • Cosa? ....

4. • Guarda questa spiaggia piena di rifiuti. • ....

5. • Da oggi comincia la raccolta differenziata nella nostra scuola. • ....
   .... è una bella notizia!

5. a. Collega le due colonne per formare dei periodi ipotetici di 2° e 3° tipo.

1. Se Giorgio si fosse fermato allo stop,
2. Se fosse tornato,
3. Se ci fosse lo sciopero,
4. Se tutti fossimo più attenti a non sporcare,
5. Se non avessimo pagato in contanti,
6. Se ci fermassimo in un agriturismo,

a. non ci avrebbe fatto lo sconto.
b. le nostre città sarebbero più pulite.
c. sarebbe meglio anche per i bambini.
d. mi avrebbe telefonato.
e. la metro sarebbe chiusa.
f. avrebbe evitato l'incidente.

b. Trasforma le frasi formulando dei periodi ipotetici di 3° tipo, secondo il modello.

> Non ti ho telefonato perché era già mezzanotte.
> Se non fosse stata mezzanotte, ti avrei telefonato.

1. Siamo rimasti senza soldi perché non siamo riusciti a trovare un bancomat.
   ....

2. Mi devi scusare, ma ero occupato e non sono venuto a trovarti.
   ....

3. Ha passato tutta la serata al computer e non è uscito con gli amici.
   ....

4. Questa mattina non ho fatto colazione e mi sono sentito male al lavoro.
   ....

5. Non ha seguito le istruzioni e ha danneggiato la stampante nuova.
   ....

6. Mimmo ti ha chiesto di pagare il conto perché aveva perso il portafoglio.
   ....

6. **Completa secondo il modello.**

Se potessi andare in vacanza, ci (andare) andrei subito.
Se fossi potuto andare in vacanza, ci (andare) sarei andato.

1. Se avessi tempo, (iscriversi) .... a un corso di yoga.

   Se avessi avuto tempo, (iscriversi) .... a un corso di yoga.

2. Se Mario capisse gli errori che fa, non li (ripetere) ....

   Se Mario avesse capito gli errori che ha fatto, non li (ripetere) ....

3. Se (continuare) .... gli studi, potrebbe fare una brillante carriera.

   Se (continuare) .... gli studi, avrebbe potuto fare una brillante carriera.

4. Se Gloria (comportarsi) .... seriamente, mi fiderei di lei ciecamente.

   Se Gloria (comportarsi) .... seriamente, mi sarei fidata di lei ciecamente.

5. Se avessi fumato di meno, oggi non (avere) .... tutti questi problemi di salute.

   Se avessi fumato di meno, non (avere) .... tutti quei problemi di salute.

7. **Abbina le due colonne in modo da ottenere dei periodi ipotetici di 1°, 2° e 3° tipo.**

1. Se non avessi risparmiato,	a. ti avrei certamente portato un regalo!
2. Se Patrizia non mi invita,	b. non avrei potuto comprare una casa.
3. Se mangiassi di meno,	c. vengo con voi.
4. Se fossi stato a Madrid,	d. mi avrebbe telefonato.
5. Se avesse voluto sapere come stavo	e. non tornate tardi!
6. Se stasera uscite,	f. ti sentiresti meglio.

8. **Osserva le immagini e completa le frasi.**

   a. Cosa fai se ...?

Se andiamo a Roma, ...
....
....

Se ci sarà molta nebbia non verrò in macchina, ...
....
....

3

....
................................, potete accendere il riscaldamento.

Se domani fa bel tempo, noi
....
....

4

b. Cosa faresti se ...?

1

Se vincessi alla lotteria, ...
....
....

2

Se vedessi un ladro che cerca di aprire una macchina, ...
....
....

3

Se fossi più bella, ...
....
....

....
....
..................., verrei a mangiare da te stasera.

4

9. a. Trasforma le frasi secondo il modello.

Non ho dato retta ai miei amici e adesso mi trovo in questo guaio.
Se avessi dato retta ai miei amici, non mi troverei in questo guaio.

1. Non siamo andati con loro e adesso non siamo ad Assisi.

   ....

2. Non ho mangiato niente e ora mi gira la testa.

   ....

3. Non ho ricevuto nessuna email, ma sono venuto lo stesso.

   ....

Assisi, Basilica di San Francesco

4. Non ho lavorato molto e ora non sono stanco e non ho bisogno di una vacanza.

   ....

5. Il treno non è partito in orario e non sono ancora in ufficio.

   ....

6. Parli in questo modo perché non hai visto la trasmissione.

   ....

b. Indica se nelle seguenti frasi abbiamo un periodo ipotetico della realtà (R), della possibilità (P) o dell'impossibilità (I).

OMAGGIO A DAMIANI
**IL GIORNO
ELLA CIVETTA**
EDÌ 11 MARZO ALLE 16.00

1. Se non sei stanca, propongo di uscire a fare una passeggiata.

2. Sarebbe stato bello se in Italia fossero venuti anche i tuoi.

3. Se Luca conoscesse anche il tedesco, potrebbe lavorare con noi.

4. Se avessi un telefonino dotato di una fotocamera migliore, comprerei quest'ultima applicazione.

5. Se vogliamo parlare con Marco, telefoniamogli!

6. Il film del regista Damiani ti piacerebbe di più se avessi letto il libro di Leonardo Sciascia da cui è tratto.

10. Trasforma le frasi secondo il modello. Consulta anche l'Appendice grammaticale.

Mi ha telefonato Carlo per andare a teatro. Che dici? Vado a teatro?
Mi ha telefonato Carlo per andare a teatro. Che dici? Ci vado?

Pompei, Napoli

1. Mi piacerebbe visitare Pompei. Non sono mai stato a Pompei.

   Mi piacerebbe visitare Pompei, ...

2. ● Chi ti porta alla stazione domani mattina?

   ● Mi accompagna Franco alla stazione.

   ● Chi vi porta alla stazione domani mattina?

   ● ....

3. Andrea è un amico speciale. Mi trovo molto bene con Andrea.

   Andrea è un amico speciale e ....

   ....

4. ● Vuoi telefonare a Claudia? Hai il numero?

   ● Sì, ho il numero di Claudia.

   ● Vuoi telefonare a Claudia? Hai il numero?

   ● ....

5. Voleva sapere se abitavo a Milano. Gli ho risposto che non abitavo più a Milano da sei mesi.

   Voleva sapere se abitavo a Milano e ....

6. Nonostante avessi preso l'impegno di scrivere un articolo per il giornale della scuola, non sono riuscito a scrivere l'articolo.

   Nonostante avessi preso l'impegno di scrivere un articolo per il giornale della scuola, ...

   ....

11. Trasforma le frasi secondo il modello. Consulta anche l'Appendice grammaticale.

   ● Ti piace il caffè? ● Sì, molto! Bevo 5 o 6 caffè al giorno!
   ● Ti piace il caffè? ● Sì, molto! Ne bevo 5 o 6 al giorno!

1. ● Sei andato a vedere lo spettacolo di Alessandro Gassman?

   ● No, ma ho sentito parlare molto bene dello spettacolo di Alessandro Gassman.

   ● Sei andato a vedere lo spettacolo di Alessandro Gassman?

   ● No, ...

2. Alla mia festa aspettavo molte persone. Non immaginavo però che sarebbero venute tante persone.

   Alla mia festa aspettavo molte persone, ...

   ....

Alessandro Gassman

3. Volevo telefonare a Nicola. Però mi sono dimenticato di telefonare a Nicola.

   Volevo telefonare a Nicola, ...

4. Aldo ha mangiato tutti i dolci, non è rimasto neppure un dolce.

   Aldo ha mangiato tutti i dolci, ...

5. ● Conosci molte canzoni di Fabrizio De Andrè? ● No, conosco solo alcune canzoni di Fabrizio De Andrè.

   ● Conosci molte canzoni di Fabrizio De Andrè? ● No, ...

6. ● Stefania è ancora qui? ● No, è andata via di qui un'ora fa.

   ● Stefania è ancora qui? ● No, ...

12. Leggi il testo sul tempo libero e rispondi alle domande, come nell'esempio, con i pronomi diretti, i pronomi indiretti, *ci* e *ne*.

Quali sono le principali attività a cui gli italiani si dedicano nel loro tempo libero? La scelta è molto varia e dipende anche dal sesso e naturalmente dall'età. Ai primi posti per gli uomini ci sono il cinema (45,4%), gli spettacoli sportivi (39,4%), i locali come discoteche e pub (28,4%), musei e mostre (25,6%), concerti e spettacoli musicali (18,8%), teatro (14,4%).

Le donne dichiarano che preferiscono il cinema (38,7%), musei e mostre (25,7%), discoteche e pub (22,8%), teatro (17,1%), concerti di musica (15,4%).

Sono circa 13,5 milioni gli italiani che guardano la TV per oltre tre ore al giorno. Solo il 35,7% degli uomini e il 45,7% delle donne leggono libri.

6 italiani su 10 dichiarano di praticare sport, mentre sono circa 21 milioni coloro che affermano di non praticare alcuna attività sportiva. Coloro che invece frequentano centri di bellezza, saune e parrucchieri nel tempo libero sono più che altro donne con un'età fra i 45 e i 54 anni.

Ben 20 milioni di italiani dichiarano di non essere soddisfatti del loro tempo libero. Si lamentano delle troppe ore quotidiane dedicate al lavoro, al tempo che ogni giorno trascorrono in macchina e vorrebbero più tempo libero. Coloro che sono più insoddisfatti sono i laureati: infatti l'insoddisfazione per il tempo libero cresce proprio in relazione al titolo di studio.

L'1% degli italiani vede il tempo libero come tempo inutile, il 2,4% sostiene che nel tempo libero soffre di solitudine e il 3,9% dichiara che non vede l'ora di avere un po' di tempo libero per stare da solo e il 13% sostiene che è un momento da dedicare al rapporto di coppia.

Adattato da *www.fipe.it*

1. • *Nel tempo libero sia gli uomini che le donne italiane vanno volentieri al cinema?*
   • Sì, ci vanno volentieri.

2. • *Alle donne non piace seguire spettacoli sportivi durante il tempo libero?*
   • .... piace.

3. • *Più di tredici milioni di italiani preferiscono guardare la TV?*
   • .... guardano per più di tre ore al giorno.

4. • *Gli italiani trascorrono molto tempo al lavoro e in macchina?*
   • .... trascorrono molte ore.

5. • *Agli italiani sembrano molte le ore che hanno a disposizione per il tempo libero?*
   • .... vorrebbero di più.

6. • *Alcuni italiani durante il tempo libero soffrono di solitudine?*
   • .... soffrono.

7. • *Il 13% degli italiani pensa che il tempo libero sia tempo da dedicare al proprio partner?*
   • .... pensa.

13. Collega i verbi con i nomi dati e scrivi le frasi sotto le immagini, come nell'esempio.

un word • stampare • scaricare • una foto • allegare • i tasti • salvare • installare
• un video da YouTube • un documento • un programma • premere

1. ....

2. ....

3. ....

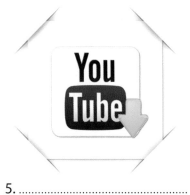

4. ....

5. ....

6. installare un programma

14. a. Completa il testo con le parole date.

qualcosa • altre • Ce ne • che • Chi • Nessuna • ne • Niente • in cui • qualcuno • quelli che • sms

L'uomo senza telefonino

Una razza in via d'estinzione o già estinta? Se (1)........................... conoscete almeno uno, scriveteci!

Oggi mi sono fatto un piccolo regalo. Ho lasciato il cellulare sulla scrivania e sono uscito a prendere un caffè.
(2)........................... telefonate, sms o mail. Ho riscoperto uno strano silenzio. Il nuovo lusso dei tempi di oggi
è questo: vivere senza cellulare. (3)........................... ci riesce? Conoscete (4)........................... che viva senza cellulare e abbia tra i 15 e i 75 anni? Se sì, fermatelo: forse vi potrà raccontare (5)........................... di interessante.
Siamo ormai abituati a parlare da soli per la strada o camminare lentamente, con le teste abbassate sul cellulare, a digitare un (6)..........................., leggere una mail o pubblicare una foto su Facebook, anche quando
siamo con (7)........................... persone.
(8)........................... critica: solo immagini quotidiane che mostrano come è cambiato il nostro modo di comunicare. E allora inizia la ricerca di (9)...........................
vivono senza il telefonino. (10)........................... sono ancora in Italia? Ci sono
ancora dei sopravvissuti al cellulare in un Paese (11)........................... il 90,7% possiede un telefonino e dove ci sono più sim (12)........................... persone?
Prima che sia troppo tardi e che l'uomo senza telefonino scompaia per sempre,
scrivete al forum per raccontarci cosa fanno, come e dove vivono.

b. Ora completa le risposte del forum con le parole date negli spazi in rosso e con i verbi tra parentesi negli spazi in blu.

ci - gliene - ce ne - ci mette - navigo

Ultimi messaggi

🎱 📘

Bird-65   ▫   Quote

Sono io
Io non uso alcun cellulare, ma non credo per questo di (1. avere) .... una storia da raccontare. Mi piace il silenzio e odio i telefoni di qualsiasi genere. Però (2)..................... spesso in Internet.   👍 Mi piace ⎡2⎤ ▲

Carol   ▫   Quote

Niente cellulare e niente auto!
Sembra davvero incredibile, ma vedo che (3)..................... sono di persone che vivono senza un telefono cellulare. Mia mamma è una di queste. Lei oltre a non avere il cellulare, non utilizza nemmeno l'auto! Ma possiamo vivere senza cellulare? Certo! E (4. vivere, noi) .... certamente meglio se pochi lo avessero!   👍 Mi piace ⎡1⎤ ▲

SoleSilenzioso   ▫   Quote

Lorenzo
Si chiama Lorenzo. È alto, grosso e intelligente. Per conservare un sorriso, che oggi è rarissimo incontrare, non utilizza per niente il cellulare e poco i social network. Credo che (5. capire) .... l'importanza del vivere senza stress. Per andare al lavoro (a 700 metri da casa sua), ogni mattina, (6)..................... 5 minuti in bici.   👍 Mi piace ⎡1⎤ ▲

AndreaTR   ▫   Quote

È tutto più vero
Ciao, Andrea, 27 anni, da Trieste. Da 8 anni lavoro all'estero, almeno 2 paesi differenti all'anno. Eppure, non ho più il cellulare per scelta da qualche anno. Penso che non (7. esserci) .... niente di più bello e di più vero. Inoltre: scrivere una lettera è molto più creativo e soddisfacente.   👍 Mi piace ⎡2⎤ ▲

Alessia   ▫   Quote

Senza telefonino
Il mio babbo si chiama Franco e non usa il telefonino. Non l'ha mai usato e la cosa non gli ha mai creato nessun problema. Mamma ha provato a regalar.....................(8) uno da usare almeno i fine settimana quando va a camminare in montagna da solo. Ma lui niente, dice che non (9)..................... sta nello zaino :)
L'unico telefono a cui risponde è il fisso del suo ufficio, dalle 8.30 alle 20.30. Poi quando esce FINE. Nessun disturbo, nessuno squillo fastidioso, nessuna disattenzione quando guida, nessun messaggino mentre è in coda, nessuna interruzione quando legge il giornale, nessun cliente che lo cerca anche a casa. Sono sicura che (10. vivere) .... senza il telefonino lo rende più sereno e lo fa stare più in salute. Dovremmo provarci anche noi.   👍 Mi piace ⎡3⎤ ▲

15. Completa con le preposizioni, semplici o articolate.

Istat, sono i più giovani gli italiani più tecnologici

Come ogni anno l'Istat fotografa la situazione italiana nel campo (1)............... nuove tecnologie e

... poco sembra cambiare anche (2)............... giovani generazioni.

L'indagine *Cittadini e nuove tecnologie* ci dà un'immagine del nostro paese poco diversa (3)............... quella dell'anno precedente: il 60,5% (4)............... famiglie ha Internet e il 64,3% ha un personal computer.

L'Italia risulta 22° (5)............... Europa a 27 paesi per quanto riguarda l'accesso a Internet (6)...............

casa, sono però i più giovani, dai 16 ai 24 anni, a far salire al 18° posto il nostro paese (7)...............

loro utilizzo quasi quotidiano di Internet. Anche le famiglie (8)............... almeno un "under 18" sono

le più tecnologiche: l'87,9% possiede un personal computer e l'83% ha Internet.

Chi naviga in rete lo fa soprattutto per spedire o ricevere email (85,3%), per cercare informazioni (71,7%) e per inviare messaggi (9)............... chat, social network, blog e gruppi di discussione (55,2%). A seguire, il 56,5% lo utilizza per leggere giornali, news, riviste; il

30,5% (10)............... ascoltare la radio; il 29,7% per guardare programmi televisivi e il 36%, per guardare in streaming un video.

Adattato da *www.minori.it* (Francesca Conti)

CD 2

16. a. Ascolta il brano e completa le frasi (max. 4 parole).

1. Vorrei vedere un ....

2. Design bellissimo, schermo al plasma ....
   ....

3. Comunque, è un sistema all'avanguardia che le permette di ricevere
   ...., collegarsi a Internet ...

4. Lei potrà guardare più canali contemporaneamente e scegliere quello
   ....

5. Ecco, questo è meno grande, ... in sala.

6. In più, può memorizzare le abitudini ....

7. Senti, giovanotto, ci sarebbe qualcosa ...., magari di meno intelligente ...?

8. Non avrei mai immaginato che .... così.

b. Qual è il significato delle seguenti parole che hai ascoltato nell'esercizio precedente?

1. All'avanguardia
   - a. ☐ che ha qualcosa di completamente nuovo
   - b. ☐ che propone cose tradizionali
   - c. ☐ che vuole essere utile

2. Collegarsi
   - a. ☐ mettersi in comunicazione
   - b. ☐ separare
   - c. ☐ unire

3. Contemporaneamente
   - a. ☐ prima
   - b. ☐ dopo
   - c. ☐ allo stesso tempo

4. Memorizzare
   - a. ☐ cancellare
   - b. ☐ registrare, ricordare
   - c. ☐ scrivere

Test finale

A   Scegli l'alternativa corretta.

1. • Se tutti gli uffici del Comune (1)............................ il computer, non ci sarebbe bisogno di aspettare una settimana per un certificato.
   • (2)............................ che ci siano ancora uffici senza computer!

   (1) a) avessero avuto
       b) avessero
       c) abbiano avuto

   (2) a) Ma è incredibile
       b) Complimenti
       c) Non si può andare avanti così

2. Non sarei venuto da te se non (1)............................ sicuro che mi (2).............................

   (1) a) sarei
       b) fossi
       c) sia

   (2) a) aiutavi
       b) hai aiutato
       c) avresti aiutato

3. Se Tommaso non (1)............................ fin da piccolo la TV a un metro di distanza, ora non (2)............................ degli occhiali da vista.

   (1) a) avesse guardato
       b) avrebbe guardato
       c) guardasse

   (2) a) bisognasse
       b) bisognava
       c) avrebbe bisogno

4. Se (1)............................, (2).............................

   (1) a) era arrivato
       b) arrivasse
       c) fosse arrivato

   (2) a) ne telefonerebbe
       b) ci avrebbe telefonato
       c) si sarebbe telefonato

5. Se (1)............................ tanto questi dolcetti, (2)............................ tutti!

   (1) a) ti piacciono
       b) ti piacessero
       c) ti piaceranno

   (2) a) mangiali
       b) mangiatene
       c) mangiateci

6. • Antonio! Ma quanti libri (1)...........................?

• Quanti? (2).......................... solo due!

(1) a) comprarti
   b) compravi
   c) hai comprato

(2) a) Ne ho preso
   b) Ci ho presi
   c) Ne ho presi

B Abbina le due colonne per formare delle frasi.

1. Fammi sapere
2. Usciremmo più spesso,
3. Se sei stanco,
4. Se Elena avesse messo la sveglia,
5. Se avessi la possibilità,

a. forse sarebbe arrivata in orario.
b. partirei per una vacanza anche domani.
c. se ti serve una mano.
d. vai a casa!
e. se non dovessi lavorare tanto.

C Completa il testo con le parole date negli spazi rossi e i verbi tra parentesi negli spazi blu.

domandò • fai • fare • dissero • se ne • qualsiasi • se • gli • Togli

Ma con il cellulare Giulietta e Romeo si sarebbero salvati di Luciano De Crescenzo

Mio nonno aveva capito tutto del telefono. Un giorno qualcuno (1)................................... spiegò come funzionava. «Vedete, – gli (2)................................... – il telefono è una cassetta che a un certo punto suona, voi, allora, andate a rispondere». «Come? – (3)................................... mio nonno – Lui suona e io devo debbo andare a rispondere...». Insomma, aveva capito la dipendenza tecnologica. È vero che il telefonino non chiede mai il permesso quando squilla e può interromperti in (4)................................... momento. Secondo me, sarebbe necessario insegnare nelle scuole come usare il telefonino, avremmo un domani migliore. Però, a pensarci bene, chissà come (5. cambiare) .... la storia se il telefonino fosse stato inventato prima. Napoleone, ad esempio, non (6. perdere) .... a Waterloo. Con il telefonino avrebbe chiamato Grouchy: «Sono Napoleone. Corri subito che qua ci sono i prussiani!». Giulietta e Romeo non (7. uccidersi) .... Lei avrebbe chiamato il suo amato e gli (8. dire) ....: «Romeo, (9)................................... attenzione, io non sono morta, sto solo dormendo. Non (10)................................... come al tuo solito che ti lasci prender dall'emozione». E per finire neanche Egeo (11. togliersi) .... la vita. Lui aveva mandato il figlio Teseo a uccidere il Minotauro e gli aveva detto: «Quando torni, Teseo, (12)................................... hai ucciso il Minotauro, cambia il colore alle vele. (13)................................... le vele nere e metti quelle bianche. Così io posso capire, anche da lontano, che hai vinto». Purtroppo Teseo (14)................................... dimenticò ed Egeo si uccise buttandosi nel mare. Se (15. esserci) .... il telefonino, oggi quel mare, invece di chiamarsi Egeo, si chiamerebbe Mare Telecom Italia Mobile.

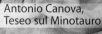

Antonio Canova,
Teseo sul Minotauro

Adattato da *www. corriere.it*

D   **Risolvi il cruciverba.**

ORIZZONTALI

2. Detto di computer che possiamo portare con noi.
6. La più importante associazione ambientalista italiana.
7. Inserire un programma nel computer.
8. Numero dei tipi di periodo ipotetico.
9. Il contrario di *Sud*.
10. Sinonimo di *suonare*.

VERTICALI

1. @ in italiano.
3. La utilizziamo per scrivere al computer.
4. E-mail in italiano: posta ...
5. Espressione che usiamo per congratularci.

Risposte giuste   .... /42

117

Attività Video - episodio *Lorenzo e la tecnologia*

Per cominciare...

Indica le parole (incontrate anche nell'unità 8 del *Libro dello studente*) di cui ricordi il significato.

☐ schermo ☐ installare ☐ salvare ☐ scaricare ☐ cavo ☐ scheda memoria

Guardiamo

1 Guarda l'episodio e verifica le ipotesi fatte.

2 Osserva le immagini e leggi cosa dice Gianna. In coppia, scrivete le battute di Lorenzo. Se necessario, potete guardare l'episodio una seconda volta.

............................!

Oggi in agenzia è arrivato un cliente che, guarda... se avessi potuto, l'avrei mandato a quel paese!

..............................!

.............................!

Senti, non c'entra molto, ma hai sentito Ludovica per caso?

E poi mi avevi detto che l'avresti chiamata... Lo sai, lei ha una cotta per te.

Facciamo il punto

1 Indica le tre informazioni esistenti.

1. Gianna pensa che Lorenzo parli con lei.
2. Gianna ha lavorato molto.
3. A Lorenzo non è simpatica Ludovica.
4. L'amico di Lorenzo ha un pc molto potente.
5. Lorenzo è un appassionato di tecnologia.
6. Gianna è sorpresa dal messaggio che riceve al cellulare.

2 Fai un breve riassunto orale dell'episodio.

1. a. Trasforma le seguenti frasi alla forma passiva con essere, secondo il modello.

Tutti considerano Leonardo da Vinci un genio.
Leonardo da Vinci è considerato da tutti un genio.

1. Circa due milioni di persone visitano ogni anno la Galleria degli Uffizi.
   ....

2. I guardiani controllano ogni settore del museo.
   ....

3. Due donne hanno commesso il furto e ora la polizia le insegue.
   ....

4. Tutti i telegiornali trasmettono la notizia.
   ....

5. Il commissario Montalbano conduce le indagini.
   ....

6. A quanto pare un collezionista privato ha commissionato il furto.
   ....

Sandro Botticelli, *Ritratto di giovane con medaglia*, 1470-75, Galleria degli Uffizi, Firenze

b. Trasforma, quando possibile, le frasi dell'esercizio 1a, secondo il modello.

Leonardo da Vinci è considerato da tutti un genio.
Leonardo da Vinci viene considerato da tutti un genio.

....
....
....
....

2. Collega le frasi della colonna di sinistra con quelle della colonna di destra.

1. Il campionato è stato
2. Questa canzone sarà presto
3. Un computer nuovo sarebbe stato
4. È importante che gli inviti siano stati
5. Aveva paura che il suo libro non fosse
6. Nel film quella storia era

a. apprezzato di più come regalo.
b. vinto dalla mia squadra.
c. raccontata in modo molto divertente.
d. letto da nessuno.
e. ascoltata da tutti.
f. spediti in tempo.

3. Trasforma le frasi con il verbo alla forma passiva. Dove possibile, usa sia essere che venire.

1. Era preferibile che la signora Numi, l'insegnante di educazione ambientale, accompagnasse i suoi studenti in gita al Parco Nazionale del Pollino.

....

....

2. In questo paese fanno il miglior gelato.

....

3. Credo che Stefano abbia interpretato male le mie parole.

....

4. Ogni giorno in Italia rubano circa 350 auto.

....

5. Tutti consideravano questo museo uno dei più sicuri del mondo.

....

6. Alessandro Volta inventò la batteria elettrica.

....

Parco Nazionale del Pollino

4. Riscrivi alla forma passiva le parti in blu dei titoli di giornale.

la Repubblica.it
il mondo in diretta 24 ore su 24

EDIZIONI LOCALI: BARI - BOLOGNA - FIRENZE - GENOVA - MILANO - NAPOLI - PALERMO - PARMA - ROMA - TORINO

Home | Pubblico | Economia&Finanza | Sport | Spettacoli | Cultura | Motori | Viaggi | D-Repubblica | Casa | Salute | Meteo | Lavoro | Annunci
Repubblica TV | Reporter | RSera | Cronaca | Esteri | Scienze | Tecnologia | Ambiente | Scuola | Repubblica@Scuola | Mondo Solidale | Ora per Ora | Foto

1. Avrebbero rubato circa duemila volumi antichi dalla Biblioteca dei Girolamini, sembra che i Carabinieri abbiano arrestato il direttore De Caro e altre quindici persone!

LA TUA REPUBBLICA.IT
Accedi e personalizza   f Accedi

IL NOTIZIOMETRO   ON
temi caldi su facebook

2. La bellezza salverà il mondo? Una domanda a cui cercheranno di dare risposta domani al Caffè letterario di Via Firenze artisti, architetti e scrittori.

3. Gondola si capovolge: i vigili del fuoco e i gondolieri salvano i quattro turisti.

4. Facevano il bagno nella Fontana di Trevi. La polizia ha sorpreso i turisti e ha fatto loro una multa.

5. Il Passo del Brennero, tra Italia e Austria, accoglierà il primo museo in autostrada, on the road. Il videoartista Fabrizio Plessi ha disegnato gli interni della struttura.

6. In aprile il Macro (Museo d'Arte Contemporanea Roma) inaugura le mostre della stagione primavera-estate con lo statunitense Sam Durant.

▸ LA SCHEDA Un gigante lungo 240 metri ◙ Il percorso della Jolly Nero
CONDIVIDI

1. ....
2. ....
3. ....
4. ....
5. ....
6. ....

5. Scrivi alla forma passiva, con **venire**, alcuni importanti avvenimenti che hanno cambiato la storia dell'Italia e del mondo.

1. Nel 1492, Cristoforo Colombo scoprì l'America.
....

2. Nel 1576, Benedetto Gentile ideò la lotteria.
....

3. Nel 1854, Antonio Meucci costruiva il primo telefono.
....

4. Nel 1903, Giuseppe Bezzera inventa la macchina per il caffè espresso.
....

5. Nel 1957, la FIAT mise sul mercato la 500, simbolo del boom economico.
....

6. Nel 2002 sono 12 i Paesi dell'Unione Europea che usano l'Euro.
....

6. Trasforma le frasi alla forma passiva.

1. Nel museo della nostra città esporranno opere di Caravaggio.
....

2. Pensavo che avrebbe restaurato il quadro il professor Biglia.
....

3. Non abbiamo speso niente perché Giovanni aveva pagato tutto.
....

4. Credo che molti stranieri conoscano le opere artistiche italiane.
....

5. Era strano che nessuno avesse visto i ladri rubare le opere d'arte.
....

6. Pensavo che Giulia avesse già ordinato i mobili per la villa all'antiquario.
....

Caravaggio, *Narciso*, Galleria Nazionale d'Arte Antica, Roma

7. Abbina le frasi delle due colonne.

1. Ma sul serio	a. è così, vero?
2. Non scherzo mai	b. che la nostra squadra sia riuscita a vincere.
3. Dimmi che è andato tutto bene:	c. abbiano detto la verità.
4. Ti posso garantire che	d. quando si tratta del nostro futuro.
5. Non c'è dubbio che i ragazzi	e. vuoi cambiare lavoro?
6. È davvero incredibile	f. è uno spettacolo bellissimo: vale la pena vederlo.

8. Riordina gli elementi in modo da formare delle frasi alla forma passiva con i verbi potere e dovere.

1. pagato - entro la - dovrebbe essere - fine del mese. - il conto del dentista

   Il conto del dentista ....

2. presi - e il venerdì. - i libri - in prestito - il lunedì, - possono essere - il mercoledì

   I libri ....

3. essere rispettati - devono - i professori - dagli studenti - e viceversa.

   I professori ....

4. da tutti. - non - un articolo - essere letto - così difficile - può

   Un articolo ....

5. un libro così - solo - poteva - grande scrittore. - essere scritto - da un

   Un libro così ....

6. da poche persone. - essere comprata - penso che - possa - una villa così grande e confortevole

   Penso che ....

9. Inserisci il termine corretto nelle frasi e poi trasformale dalla forma attiva a quella passiva.

> musicista - collezionista - architetto - pittore - cantante - fotografi

1. Pochi .... professionisti possono fare foto con questi colori.

   ....

2. Quel .... blues che conosco dovrebbe cantare questa canzone così difficile.

   ....

3. Soltanto un .... potrebbe comprare questo quadro di grande valore.

   ....

4. Il tuo amico .... potrebbe dipingere un quadro da regalare a Teresa.

   ....

5. Un bravo e famoso .... deve progettare un edificio così importante.

....

6. Soltanto una brava .... come Francesca potrebbe suonare questo brano.

....

10. Forma delle frasi e trasformale alla forma passiva con il verbo andare, secondo il modello.

1. Il curriculum vitae va inviato per email.
2. Questo lavoro ....
3. Il maglione ....
4. I formaggi ....
5. Questo articolo ....
6. È il museo d'arte moderna più importante d'Italia: ....
7. Al cinema danno il film di Almodovar, credo che ....

    a. deve essere eseguito entro domani.

    b. devono essere tenuti in frigorifero.

    c. deve essere visitato.

    d. debba essere visto.

1 e. deve essere inviato per email.

    f. doveva essere lavato con acqua fredda.

    g. deve essere letto con attenzione.

11. Completa le frasi con la forma passiva (si passivante) dei verbi dati.

cucinare • fare • produrre • trovare • vedere • studiare

1. Dalla cupola di San Pietro .... un panorama fantastico.

2. In quel negozio non .... mai sconti.

3. Nel mio Paese .... molto le lingue straniere.

4. In quel ristorante .... benissimo il piatto tipico della regione.

5. Nei mercati all'aperto .... tante cose a buon prezzo.

6. In Italia .... degli ottimi vini.

12. Trasforma, quando possibile, le frasi dalla forma passiva con essere o venire, alla forma passiva con il si passivante.

1. L'aereo è usato da sempre più persone, per viaggiare.

   .... da sempre più persone per viaggiare.

2. Tra un mese verrà pubblicato un libro molto interessante sul restauro del *Giudizio Universale* di Michelangelo.

   .... un libro molto interessante sul restauro del *Giudizio Universale* di Michelangelo.

3. In questo piccolo paese, la posta viene consegnata due volte alla settimana.

   In questo piccolo paese, la posta ....

4. La musica jazz è ascoltata da poche persone.

   La musica jazz ....

5. La buona cucina viene apprezzata da tutti.

   La buona cucina ....

6. Questi bellissimi gioielli sono fabbricati in Italia.

   Questi bellissimi gioielli ....

13. Consulta l'Appendice grammaticale e completa le frasi come da modello.

Milano, Museo del Novecento

C'è un canale TV dove possiamo vedere tanti vecchi film.
C'è un canale TV dove si possono vedere tanti vecchi film.

1. Per continuare dobbiamo scrivere la password nell'apposito spazio.

   ....

2. Se vuoi studiare a Milano, dobbiamo trovare una casa in affitto.

   ....

3. Possiamo fare molto per la tutela dell'ambiente.

   ....

4. Gli amici devono essere rispettati e devono essere aiutati.

   ....

5. Domenica possiamo visitare i musei senza pagare il biglietto.

   ....

6. Questa decisione dovrebbe essere presa in fretta, se vogliamo fare in tempo.

   ....

14. Metti gli infiniti alla forma verbale opportuna, secondo il modello.

Molte tradizioni del passato/perdere.
Si sono perse molte tradizioni del passato.

1. Per costruire quel ponte/usare una nuova tecnica.

   ....

2. Per l'inaugurazione della nuova pinacoteca/spendere un sacco di soldi.

   ....

3. L'antica città di Pompei/scoprire nel 1748.

   ....

4. Durante il corso/organizzare molte attività divertenti.

   ....

5. Molte bugie/dire sul rapporto tra Michele e Veronica.

   ....

6. Molte informazioni/raccogliere sugli ultimi anni di vita di Botticelli.

   ....

Ponte Duca d'Aosta, Roma

15. Andare o venire? Completa le frasi con il verbo giusto.

1. In bicicletta o in moto, il casco .... sempre messo.
2. Il biglietto .... convalidato prima di salire sul treno.
3. Credo che il concerto del Primo maggio .... organizzato ogni anno a Roma.
4. Ho saputo che Claudia ha trovato lavoro: .... assunta tra un mese come segretaria.
5. Questi sono errori che .... corretti per poter parlare bene una lingua straniera.
6. Chiudo la bicicletta perché sarebbe un peccato se mi .... rubata.
7. È giusto che la visione dei film horror .... proibita ai minori di 14 anni?

16. Si passivante (P) o si impersonale (I)? Indica la risposta corretta.

1. Si dice che i prossimi giorni farà molto caldo.
2. Negli ultimi mesi si sono creati molti posti di lavoro.
3. Non si dovrebbe giudicare senza conoscere bene la situazione.
4. Eravamo stanchi, per questo si è dormito fino a tardi.
5. Non si può vedere la città perché c'è la nebbia.
6. Non è vero che in questa casa si mangia male.

17. Collega le due colonne e completa i proverbi.

1. Meglio tardi
2. Una rondine
3. L'abito non fa
4. Quando il gatto non c'è
5. Tra moglie e marito
6. Le bugie

a. il monaco.
b. i topi ballano.
c. hanno le gambe corte.
d. che mai.
e. non mettere il dito.
f. non fa primavera.

IO NON DICO MAI BUGIE. DICO COSE NON VERE CHE PERÒ POTREBBERO CREARE DELLE VERITÀ

18. a. Completa con le parole date.

Pietro Lorenzetti, *Madonna col Bambino*

capolavoro • serata • museo • dipinti • pittore • restauro

A Castiglione d'Orcia, sabato 14 novembre alle ore 16.30, presentazione dei lavori di (1)............................ compiuti sul dipinto trecentesco *Madonna col Bambino* della scuola del celebre (2)............................... senese Pietro Lorenzetti. Il (3)............................... torna in mostra tra gli altri straordinari (4)........................... .... di scuola senese della Sala d'Arte San Giovanni.

Alla presentazione seguirà una visita al (5)............................... per ammirare il dipinto restaurato accanto ai capolavori di Simone Martini, Giovanni di Paolo e Vecchietta. La (6)............................... sarà conclusa da un aperitivo.

Adattato da *www.beniculturali.it*

b. Scrivi i nomi che corrispondono ai seguenti verbi.

1. costruire ....
2. inventare ....
3. affrescare ....
4. dipingere ....
5. restaurare ....
6. inaugurare ....

19. Completa con le preposizioni semplici o articolate.

Parigi, Museo del Louvre

Stress da *Gioconda*, i dipendenti del Louvre smettono di lavorare

Il personale (1)................ museo di Parigi ha chiesto un premio (2)................ direzione per "ripagarlo" dallo stress supplementare causato (3)................ maggiore attenzione che viene loro richiesta (4)................ controllare il dipinto di Leonardo. «Lo stress è chiaramente legato (5)................ numero di visitatori. – ha spiegato un dipendente del Louvre – Quel che è insopportabile è il continuo rumore (6)................ folla, specialmente (7)................ sale più note, come quella dove si trova la *Mona Lisa*. La domenica, quando l'ingresso è gratis, è ancora peggio. Si può arrivare fino (8)................ 65 mila visitatori in un giorno».

20. Ascolta l'intervista al responsabile di un museo italiano e indica l'affermazione giusta tra quelle proposte.

1. Il museo è attrezzato
   - a. per l'ingresso ai portatori di handicap
   - b. per le visite alle collezioni private
   - c. con un bar a ogni piano
   - d. per le attività culturali all'aperto

3. Il museo prevede anche
   - a. misure di sicurezza speciali
   - b. sconti per gli studenti
   - c. programmi specifici per le scuole
   - d. carte speciali per gli stranieri

2. I programmi per i visitatori prevedono anche
   - a. escursioni in siti archeologici
   - b. visite guidate in varie lingue
   - c. opuscoli informativi
   - d. audio e video in una sala speciale

4. Il pezzo forte del museo è
   - a. un ritratto
   - b. un quadro astratto
   - c. una scultura
   - d. un libro raro

21. Collega, come nell'esempio, le frasi con le opportune forme di collegamento (congiunzioni, preposizioni, pronomi, avverbi) eliminando o sostituendo, se necessario, alcune parole. Trasforma dove necessario i verbi nel modo e nel tempo opportuni.

Mio padre aveva un quadro prezioso
mio padre ha venduto il quadro
il prezzo del quadro è stato inferiore al valore reale

Mio padre aveva un quadro prezioso che ha venduto a un prezzo inferiore al suo valore reale.

1. Maurizio è laureato in Storia dell'Arte
   Maurizio cerca lavoro
   non ci sono molte possibilità di lavoro nel suo campo
   Maurizio forse dovrà trasferirsi all'estero

   ....

   ....

2. Ieri è arrivata a casa mia Mary
   Mary è una ragazza inglese di 23 anni
   io ho conosciuto Mary a Londra
   io mi sono innamorato subito di Mary

   ....

   ....

3. Ho molti amici all'estero
   io utilizzo Skype
   mi sento molto più spesso con i miei amici all'estero

   ....

   ....

4. Non sono sicuro di una cosa
   Luca ha capito bene l'ora dell'appuntamento
   ho aspettato Luca più di mezz'ora
   Luca non è arrivato

   ....

   ....

5. Stefano vuole andare a vedere una mostra d'arte
   io preferisco andare al cinema
   accetterò di andare con Stefano
   Stefano deve pagarmi il biglietto

   ....

   ....

6. Teresa è felice
   oggi è il compleanno di Teresa
   il padre di Teresa ha promesso di regalare a Teresa una bicicletta

   ....

   ....

Test finale

A Scegli l'alternativa corretta.

1. Le nuove tecniche di restauro (1)........................... su uno degli affreschi di Giotto. L'affresco
   (2)........................... restaurato prima che sia troppo tardi.

   (1) a) saranno applicate   (2) a) andava

       b) hanno applicato   b) si doveva

       c) sono state applicate   c) va

2. Per il concerto di Andrea Bocelli, i biglietti (1)........................... acquistare a teatro. Il concerto
   (2)........................... trasmesso anche su Rai 3.

   (1) a) possono essere   (2) a) verrà

       b) vanno   b) si è

       c) si possono   c) è stato

3. ● Conosci il proverbio che dice "L'abito non (1)........................... il monaco"?
   ● Certo! Un proverbio che (2)........................... da tutti.

   (1) a) significa   (2) a) se ne dovrebbe ricordare

       b) fa   b) dovrebbe essere ricordato

       c) realizza   c) dovrebbe ricordarsi

4. Le offerte (1)........................ dall'avvocato Berti, ma l'opera (2)........................ da un collezionista di cui non conosciamo il nome.

   (1) a) sono fatte
       b) si sono fatte
       c) sono state fatte

   (2) a) è stata comprata
       b) va comprata
       c) si è comprata

5. Direttore, poiché la mostra (1)........................ l'ultima settimana di settembre, gli inviti per l'inaugurazione (2).........................

   (1) a) si terrà
       b) è stata tenuta
       c) si è tenuta

   (2) a) venivano già spediti
       b) si potrebbero già spedire
       c) vadano già spediti

6. L'(1)........................ più famosa di Leonardo da Vinci è senz'altro (2).........................

   (1) a) opera
       b) arte
       c) artista

   (2) a) la *Gioconda*
       b) la *Primavera*
       c) il *Giudizio Universale*

B **Completa con la forma passiva dei verbi tra parentesi nel modo e tempo indicato.**

Il Leonardo ritrovato in America

Salvator Mundi, Leonardo da Vinci

Un dipinto di Leonardo, che (1. ritenere, indicativo imperfetto) .... perduto da diversi secoli, (2. analizzare, indicativo passato prossimo) .... da alcuni tra i maggiori studiosi di Leonardo da Vinci e (3. esporre, indicativo futuro semplice) .... alla National Gallery di Londra.

Nell'opera, il *Salvator Mundi*, (4. raffigurare, indicativo presente) .... Cristo con la mano destra alzata e la sinistra che tiene un globo. (5. Dipingere, condizionale passato) .... da Leonardo a Milano, poco prima di lasciare la città nel 1499, lasciandone anche alcuni studi, i più noti dei quali (6. conservare, indicativo presente) .... al castello di Windsor.

L'opera, molti mesi fa, (7. consegnare, indicativo passato prossimo) .... da alcuni collezionisti americani alla National Gallery per un restauro prima della mostra. Gli studiosi del museo ritenevano che fosse di scuola leonardesca. Dopo l'eliminazione di una parte di pittura che (8. aggiungere, indicativo trapassato prossimo) .... in un precedente restauro, i tecnici e importanti studiosi hanno valutato l'opera e l'hanno attribuita a Leonardo stesso, dal momento che i meravigliosi colori, i rossi e gli azzurri ricordano proprio quelli dell'*Ultima Cena*.

Adattato da *www. corriere.it*

C Risolvi il cruciverba.

ORIZZONTALI

3. Altro nome per indicare l'*Ultima cena*, uno dei capolavori di Leonardo.
7. Noto museo di Firenze: Galleria degli ...
8. Osservare con entusiasmo un'opera d'arte.
9. Tempo verbale di *fossero stati scoperti*.
10. Espressione per confermare qualcosa: «Non c'è ... che sia così!»

VERTICALI

1. Architetto della *Fontana della Barcaccia* a Roma.
2. Non fa mai giorno quando cantano troppi ...
4. Chi non mangia da giorni è ...
5. Tra il dire e il fare c'è di mezzo il ...
6. Sostantivo di *brevettare*.

Attività Video - episodio *Arte, che fatica!*

Per cominciare...

1 Conosci le opere d'arte rappresentate? In coppia, abbinate i titoli dati alle foto. Attenzione, ci sono due titoli in più.

a. La *Nascita di Venere* (Botticelli)

b. *Autoritratto* (Leonardo da Vinci)

c. La *Primavera* (Botticelli)

d. *L'Uomo vitruviano* (Leonardo da Vinci)

e. *Ragazzo con canestro di frutta* (Caravaggio)

f. *Il duca di Urbino* (Piero della Francesca)

2 Perché Gianna e Lorenzo si trovano in un negozio d'arte? In coppia, fate due ipotesi su quello che secondo voi succederà nell'episodio.

Guardiamo

1 Guarda l'episodio e verifica le ipotesi fatte nell'attività precedente.

2 Abbina le seguenti battute a Gianna (G) o a Lorenzo (L).

1. Ma è un po' nuda, no?

2. Luci, colori, c'è tutto.

3. Che te ne pare di questi?

4. Di sicuro non c'è molto colore.

5. Caravaggio è del 1600!

Facciamo il punto

Completa le frasi.

1. Gianna non sceglie l'autoritratto di Leonardo perché ....
....

2. Gianna non sceglie il quadro di Caravaggio perché ....
.... e il suo direttore ....

3. Alla fine telefona il direttore e ....
....

3º test di ricapitolazione (unità 7, 8 e 9)

A   Leggi le seguenti frasi e formula dei periodi ipotetici (1º - 2º - 3º tipo).

1. Non hai dato un esame e adesso devi studiare tutta l'estate.

    ....

2. Non sei stato sincero e ovviamente non ti hanno creduto.

    ....

3. In centro c'era molto traffico e sono arrivato con mezz'ora di ritardo.

    ....

4. Sono molto impegnato, perciò non leggo tanto.

    ....

5. Laura visiterebbe Venezia durante il Carnevale, ma non trova una camera.

    ....

6. Fa molto freddo, non esco.

    ....

    .... /6

B   Completa le seguenti frasi con *ci* e *ne*.

1. - Sei mai stato in Sicilia? - No, non .... sono mai stato, però me .... ha parlato spesso Valerio che .... è stato tante volte.
2. Comprare un altro televisore? Non .... vedo la necessità.
3. Con la mia macchina nuova, per andare a Pisa .... abbiamo messo solo un'ora.
4. Io ti consiglio di sposare Marina solo se .... sei veramente innamorato.
5. Hai sentito quello che ha detto Paolo? Ma tu .... credi?
6. Hai visto quella ragazza in macchina? Era Teresa: .... sono sicuro.
7. Con questi occhiali .... vedo benissimo.
8. Manco da una settimana dal mio paese e già .... sento la nostalgia.

    .... /10

C   Trasforma le seguenti frasi dalla forma attiva a quella passiva e viceversa.

1. La sua magnifica voce affascinò tutti gli spettatori.

    ....

2. Credevo che Roberto avesse scolpito quella statua.

    ....

3. Credo che la notizia sia stata trasmessa dalla radio.

    ....

4. La mia città è stata colpita da un violento temporale.

   ....

5. Credo che i carabinieri abbiano chiuso quella discoteca per motivi di sicurezza.

   ....

6. La nostra scuola assegnerà cinque borse di studio ad altrettanti studenti.

   ....

7. Tante persone, in Italia, studiano il cinese.

   ....

8. La straordinaria creatività e bravura di Marcello come attore è stata ammirata da tutti.

   ....

   .... /8

D **Trasforma alla forma passiva le seguenti frasi utilizzando il *si* passivante.**

1. Ultimamente la medicina ha fatto passi importanti per sconfiggere l'AIDS.

   Ultimamente in medicina .... passi importanti per sconfiggere l'AIDS.

2. A Napoli possiamo mangiare una buona pizza ovunque.

   A Napoli .... una buona pizza ovunque.

3. Dobbiamo spedire questo pacco entro domani.

   .... questo pacco entro domani.

4. In giro per Roma vedo spesso attori famosi.

   In giro per Roma .... spesso attori famosi.

5. Per trovare un accordo abbiamo superato tante difficoltà.

   Per trovare un accordo .... tante difficoltà.

6. Molte volte perdiamo occasioni che sono veramente uniche.

   Molte volte .... occasioni veramente uniche.

   .... /6

E **Coniuga i verbi tra parentesi al tempo e al modo opportuni.**

1. Non pensavo che uno come te (credere) .... alle favole che racconta Luisa.

2. Sei già tornato? E io che credevo che ti (piacere) .... l'Italia.

3. Non riuscivo proprio a capire cosa (volere) .... Piero da me.

4. Credevo (spiegarsi, io) di .... bene e che non ci fosse bisogno di riparlarne.

5. Federica, non immaginavo che (finire) .... già .... gli studi.

6. Avrei voluto tanto che (essere, voi) .... presenti alla scena!

7. Non sapevo che i tuoi genitori (conoscersi) .... all'università!

8. Magari (sapere, io) .... prima la verità!

   .... /8

Risposte giuste .... /38

1. Trasforma le seguenti frasi al discorso indiretto, secondo il modello.

> Anna ieri ha detto: "Non riesco a trovare la mia borsa."
> Anna ha detto che non riusciva a trovare la sua borsa.

1. Carlo ha detto: "Torno verso le due."

   Carlo .... verso le due.

2. Sofia ha detto: "Forse domani non andrò all'università."

   Sofia .... all'università.

3. Marco ci disse: "Gianni era stanco, per questo è restato a casa."

   Marco .... a casa.

4. Sandro disse a suo figlio: "Dovresti studiare di più."

   Sandro .... di più.

5. Walter mi ha detto: "Ricordo bene quel giorno quando siamo andati al mare a pescare."

   Walter .... al mare a pescare.

6. Giulia mi disse: "Francesco non l'ho salutato perché non l'ho riconosciuto."

   Giulia ....

2. Collega i fumetti con le frasi corrispondenti. Consulta anche l'Appendice grammaticale.

a. Penso che Gloria verrebbe volentieri a cena da noi; non ha niente da fare.

b. Gloria è venuta volentieri a cena da noi: non aveva niente da fare.

c. Credevo che Gloria fosse contenta di venire a cena da noi.

d. Gloria sarebbe venuta volentieri a cena da noi, ma doveva studiare.

e. Penso che Gloria venga volentieri a cena da noi; stasera non ha niente da fare.

f. Credevo che Gloria si fosse trovata bene a cena da noi.

1. Franco ha detto che Gloria era andata volentieri a cena da loro perché non aveva niente da fare.

2. Franco ha detto che pensava che Gloria andasse volentieri a cena da loro perché quella sera non aveva niente da fare.

3. Franco ha detto che pensava che Gloria sarebbe andata volentieri a cena da loro perché non aveva niente da fare.

4. Franco ha detto che credeva che Gloria si fosse trovata bene a cena da loro.

5. Franco ha detto che Gloria sarebbe andata volentieri a cena da loro, ma doveva studiare.

6. Franco ha detto che credeva che Gloria fosse contenta di andare a cena da loro.

3. Trasforma le seguenti frasi dal discorso diretto al discorso indiretto. Consulta anche l'Appendice grammaticale.

1. "Lucio, mi sembra incredibile che tu abbia imparato il tedesco in soli due mesi!"

   Sara ha detto a Lucio che ....

2. "Secondo me avresti dovuto telefonare tu a Cinzia."

   Paolo mi disse che ....

3. "Credo sia arrivata in aereo, non in treno."

   Credeva che Gianna ....

4. "Comprerò una macchina a mio figlio!"

   Matteo ha detto che ....

5. "Non riuscirei mai a imparare una lingua come l'arabo: è troppo difficile."

   Valeria disse che ....

6. "Preferisco prendere un taxi; forse così arriverò in tempo."

   Luisa ieri mi ha detto che ....

Corriamo tutti ad imparare il tedesco!!!

4. Rileggi cosa ha raccontato Luca ad Anna e prova a immaginare cosa gli ha detto Ivana.

Ieri sono entrati i ladri in casa di Ivana... e la cosa più assurda è che mi ha detto che li aveva visti all'opera: stava entrando nel palazzo quando ha incontrato degli uomini che uscivano portando via un grande televisore uguale al suo. Mi ha raccontato che lei si era anche messa a parlare con loro e gli aveva anche aperto il portone per aiutarli, prima di salire in casa. Poverina, mi ha detto che non si sarebbe mai più fidata di nessuno.

Ivana: «...

....

....

....».

5. Completa il dialogo tra Aldo e Bruno con le parole date.

allarme • a quanto ne so • blindata • faccia tosta • furti • incredibile • questura • colmo

● Ciao Bruno!

● Ciao Aldo, come va? Hai sentito dei (1)................................. che ci sono stati nel nostro quartiere?

● Sì. Pensa che Gianni, nel suo appartamento, oltre ad avere installato un sistema
   d'(2)............................., ha messo anche la porta (3)..............................

● Ah, non sapevo che avesse tanta paura. Beh, almeno così può stare tranquillo.

● Anche lui lo pensava, ma pare che non sia stato sufficiente. Infatti, ieri gli sono
   entrati i ladri in casa. E il (4)............................. è che i ladri hanno rubato tutto
   tranne il computer perché era troppo vecchio. E gli hanno anche lasciato un messaggio: "Si compri un computer più moderno!". Pensa che (5).............................!

● Ma è (6).............................! E adesso cosa farà?

● (7)............................., credo abbia già fatto la denuncia in (8).............................

6. Abbina le frasi delle due colonne.

1. Hai sentito che Lucia è partita per il Giappone?
2. Antonio, non comportarti così in pubblico!
3. Hai sentito che Claudio e Anna Maria si sono lasciati?
4. Carlo, domani verrai con me a fare spese?
5. Sergio è veramente bravo: immagina che ha fatto tre esami in due mesi!
6. Che dici? Carlo verrebbe con noi alla presentazione di un libro?

a. Mah... Lo sai bene che non gli importa niente di letteratura.
b. E con ciò? Anch'io ne sarei capace...
c. Perdere l'intero pomeriggio in giro per i negozi? Non mi interessa affatto!
d. Ma chi se ne frega! Che facciano quello che vogliono!
e. Me ne infischio di cosa pensano gli altri!
f. E allora? Io non la vedo da una vita...

7. Trasforma le frasi dal discorso indiretto al discorso diretto. Consulta anche l'Appendice grammaticale.

....
....
....

1. Dario mi ha detto che mi avrebbe telefonato il giorno dopo.

....
....
....

2. Barbara ha detto che il giorno dopo sarebbe tornata più tardi del solito.

....
....
....

3. Francesco raccontò che aveva visto Carmen due giorni prima, ma non gli aveva detto nulla.

....
....
....

4. Stefania ha detto che quella sera era molto felice.

....
....
....

5. Riccardo mi ha detto che lì al parco giochi si stava divertendo tanto.

6. L'impiegato ci ha detto che gli dispiaceva, ma in quel momento non poteva aiutarci.

8. Trasforma le seguenti frasi dal discorso diretto al discorso indiretto o viceversa.

1. "Questa sera non esco, guardo la TV perché danno un film di Gabriele Muccino."

   Giovanni mi disse che ....

2. "..."

   Christine mi ha detto per telefono che sarebbe venuta in Italia due giorni dopo.

3. "Prenoterò domani il volo per Milano."

   Alessandra ci aveva detto che ....

4. "..."

   Simone ha detto che gli dispiaceva e che Gianna era uscita proprio in quel momento.

5. "Sono tornata dalle vacanze una settimana fa."

   Milena ha detto che ....

6. "..."

   Sua madre ci aveva detto che se volevamo, potevamo entrare; credeva che Luigi fosse in casa.

Gabriele Muccino

9. a. Trasforma le seguenti frasi al discorso indiretto, secondo il modello.

"Marco, va' a prendere il giornale in edicola!"
Disse a Marco di andare a prendere il giornale in edicola.

1. "La mia casa è sempre aperta per gli amici; vieni pure quando vuoi!"

   Mi disse che ....

2. "Vattene, maleducato!"

   Gli ha detto ....

3. "Non vi preoccupate, portate pure i vostri amici!"

   Ci hanno detto ....

4. "Cosa avete fatto ieri sera?"

   Ci chiese ....

5. "Chi sono quei ragazzi che ti aspettano in piazza?"

   Mi hanno chiesto ....

6. "Franco, nonostante i suoi settant'anni, è ancora attivo come pacifista e animalista?"

   Ci ha chiesto se ....

b. Trasforma le seguenti frasi dal discorso diretto al discorso indiretto o viceversa.

1. Antonio ha ordinato al suo cane di uscire subito dalla macchina.

   " ....!"

2. "Perché non si riesce a risolvere il problema della droga?"

   Costanza chiedeva perché ....

3. "È possibile avere uno sconto?"

   La signora chiede se ....

4. Voleva sapere se andavo spesso in quella palestra.

   " ....?"

5. "Quanto costa il biglietto per Lisbona?"

   Volevano sapere ....

6. Vincenzo chiese a Sara se dovessero andare in quel momento da Filippo per farsi dire tutta la verità.

   " ....?"

10. Completa l'articolo di giornale con le parole del riquadro.

condanna • far finta di • stupefacenti • arresti domiciliari • evasione • parente • spaccio

CittàOggiWeb

Il quotidiano del Magentino, Castanese, Alto Milanese e Sempione

Magenta. Quando A. F. ha visto la Polizia Stradale di Magenta ha cercato di (1)...............................
niente. Gli agenti hanno fermato la Fiat Panda sulla quale viaggiava e l'uomo, di 46 anni, ha detto
che andava all'ospedale a trovare un (2)..............................., ma la risposta non ha convinto i poli-
ziotti. Così hanno controllato e hanno scoperto che il 46enne era conosciuto per vari reati (furto
e (3)...............................), tanto da essere agli arresti domiciliari e, circa un mese fa, era stato arrestato per (4)............................... Nonostante tutto ha pensato bene di uscire ancora di casa perché
doveva trovare degli (5)............................... La Polizia Stradale di Magenta lo ha nuovamente arrestato per evasione. Ieri il giudice lo ha rispedito agli (6)............................... e non in carcere per scon-
tare una (7)............................... di un anno e otto mesi.

Adattato da *www.cittaoggiweb.it/cronaca-nera*

11. Collega la prima colonna con la seconda e forma delle frasi.

1. Ha detto che se aveva un po' di tempo,
2. Ha detto che verrà a trovarci,
3. Ha detto che se avesse avuto un po' di tempo,
4. Ha detto che se avesse un po' di tempo,
5. Ha detto di andarlo a trovare,
6. Ha detto che se ha un po' di tempo,

a. se avrà un po' di tempo.
b. verrebbe a trovarci.
c. viene a trovarci.
d. sarebbe venuto a trovarci.
e. sarebbe venuto a trovarci.
f. se abbiamo un po' di tempo.

12. Trasforma dal discorso diretto al discorso indiretto.

Rushton Hurley è il direttore del programma Merit al Krause Center for Innovation di Palo Alto in California. Lo abbiamo incontrato all'Istituto San Carlo di Milano, scuola sempre attenta alle tecnologie.

La tecnologia aiuta a insegnare?

«Sì, ma a differenza di quanto si crede, non servono competenze tecnologiche, se non di base, per usarla. Da insegnante ho cominciato a chiedermi in che cosa gli strumenti che mi venivano offerti potevano facilitarmi il lavoro, farmi risparmiare tempo. Così sono arrivato alla conclusione che quello che avevo imparato su di me poteva servire ad altri».

Gli adulti rispetto ai ragazzi non hanno maggiori difficoltà con la tecnologia?

«Un po' sì, un insegnante spesso ha paura di perdere la stima dei suoi studenti se non sa dare tutte le risposte. Ma è assurdo: come si può credere di sapere tutto? Se l'insegnante è interessato e curioso, può avere un grande aiuto dai suoi stessi ragazzi. La tecnologia non mi fa un insegnante buono o cattivo, dipende da quello che ci metto dentro, la tecnologia in mano a un bravo insegnante può aumentare il suo talento».

Adattato da *www.famigliacristiana.it* (Elisa Chiari)

Alla domanda della giornalista se la tecnologia aiuti a insegnare, Hurley risponde
di ....
....
....
....

La giornalista chiede all'intervistato se gli adulti rispetto ai ragazzi non abbiano maggiori difficoltà con la tecnologia e Hurley risponde che ....
.... Però
dice che .... e si chiede ....
.... Inoltre, aggiunge che ....
....

13. Trasforma secondo il modello. Consulta anche l'Appendice grammaticale.

"Se non mi chiamerà, gli telefonerò io."
Sandra ha detto che se non l'avesse chiamata, gli avrebbe telefonato lei.

1. "Se effettui il pagamento in banca, fammelo sapere."
   Ha detto che ....

2. "Se non avessi studiato tanto, non avrei passato questo esame."
   Claudio ha detto che se ....

3. "Chiudi tutte le finestre, se esci di casa per ultimo."
   Fulvia mi ha detto di ....

4. "Se vado a Londra, ti porterò qualcosa in regalo."

   Lo zio mi ha appena detto che se ....

   ....

5. "Se mi lasciaste da solo, forse sarebbe meglio."

   Federico diceva che ....

   ....

6. "Se tu ne avessi voglia, potremmo andare a fare una passeggiata."

   Luisa mi ha detto che se ....

Oxford, Inghilterra

14. Leggi l'intervista fatta a Mohamed e scrivi le risposte al discorso diretto.

Attualmente gli immigrati presenti in Italia sono circa quattro milioni di persone, metà delle quali provengono da paesi appartenenti alla stessa Unione Europea. Sentiamo la testimonianza di Mohamed, un ragazzo egiziano.

Mohamed

(1) risponde che studiava Giurisprudenza all'università.

(2) risponde che si vive bene, ma la vita è molto cara.

(3) dice che conosceva una persona che gli aveva offerto lavoro in una pizzeria.

(4) risponde che secondo lui, il motivo principale è perché si può trovare un lavoro.

(5) dice di sì, qualcosa invia alla sua famiglia, ma poco.

(6) risponde di no, le persone con cui passa il tempo sono le stesse che conosceva già prima di trasferirsi in Italia. Ha pochissimi amici italiani.

(7) dice di sì, c'è stato qualcuno che ha avuto comportamenti poco amichevoli, di intolleranza, nei suoi confronti, ma non per quello pensa che gli italiani siano tutti razzisti.

(8) dice di no, preferisce la compagnia di persone che, come lui, hanno lasciato l'Egitto per trasferirsi in Italia.

(9) risponde che non crede di essersi integrato pienamente e che spesso deve fare i conti con la nostalgia di casa. Gli manca tanto la sua famiglia.

(10) risponde che non ha progetti a lungo termine, ma se avesse la possibilità di scegliere, tornerebbe nel suo Paese.

Cosa facevi in Egitto?

(1) ....

Come si vive in Egitto?

(2) ....

Come mai hai scelto Roma per trasferirti?

(3) ....

Perché molti scelgono di emigrare in Italia?

(4) ....

Di quello che guadagni riesci a mandare qualche soldo a casa?

(5) ....

Hai fatto nuove amicizie in questi tre anni?

(6) ....

....

Hai notato atteggiamenti razzisti, xenofobi nei tuoi confronti?
Ti hanno mai insultato?

(7) ....

....

Quindi non è per questo motivo che non hai fatto nuove conoscenze?

(8) ....

Ti senti integrato in Italia?

(9) ....

....

Progetti per il futuro?

(10) ....

Adattato da *http://chiarapalermo.blogspot.com*

---

15. Inserisci negli spazi blu le preposizioni corrette e negli spazi rossi i verbi dati.

verranno organizzati • è stato realizzato • va affrontata

Uscirà il prossimo 29 giugno *Su le mani*, il nuovo album di Mitch e Squalo, i due dj che, insieme (1)............. Marco Galli, conducono *Tutto Esaurito* (il programma quotidiano di grande successo di Radio 105). La canzone *Boom Boom*, un brano contro la droga, è infatti legata (2)............. progetto «Boom Boom – Strategia globale di lotta (3)............. tossicodipendenze», un'iniziativa studiata dall'associazione *Centro Studi Parlamento della Legalità*.

Mitch e Squalo hanno messo (4)............. musica gli effetti distruttivi (5).............. droga. Il ritornello del brano vuol far riflettere i giovani (6)............. fatto che la vita è dura e (7)................................ con coraggio e voglia (8)............. vincere, rinunciando (9)............. dipendenza da sostanze che alterano la realtà rendendo finta la soluzione ai problemi quotidiani. Il videoclip, diretto (10)............. Gaetano Morbioli, (11)............................... con la partecipazione degli amici di Mitch e Squalo.

Presto (12)............................... anche una serie di incontri nelle scuole e spettacoli per diffondere un messaggio di promozione della salute.

Adattato da *www.corriere.it*

16. Scegli la parola corretta.

Brussels,BE | 10° C   TMNEWS ULTIMA ORA   Siria - Onu: nessun rifugiato in Giordania negli ultimi 4 giorni

Cronaca   Cultura   Economia   Istituzioni   Politica Estera   Eurospia

Nei Paesi del sud il più forte calo delle nascite

Per mantenere un figlio servono soldi, ma per guadagnare soldi (1) bisogna/c'è bisogno/necessario avere un lavoro. Così, in un'Europa (2) quando/che/dove aumenta la disoccupazione, soprattutto tra i più giovani, (3) nascano/nascono/si nasce sempre meno bambini. Lo sostiene uno studio pubblicato dall'Istituto Demografico di Vienna (4) la quale/che/a cui evidenzia la stretta relazione tra l'inizio della crisi economica ed il calo delle nascite nell'Ue.

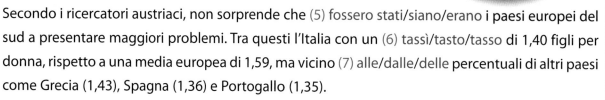

Secondo i ricercatori austriaci, non sorprende che (5) fossero stati/siano/erano i paesi europei del sud a presentare maggiori problemi. Tra questi l'Italia con un (6) tassì/tasto/tasso di 1,40 figli per donna, rispetto a una media europea di 1,59, ma vicino (7) alle/dalle/delle percentuali di altri paesi come Grecia (1,43), Spagna (1,36) e Portogallo (1,35).

Lo studio prende in esame un secondo dato: l'età delle mamme al momento della loro prima (8) nascita/gravidanza/relazione. Negli ultimi anni sono diminuite le mamme under-25. Anche in questo caso a pesare sul numero delle nascite sono, secondo lo studio, le (9) sicurezze/sfide/incertezze economiche per i neo-genitori.

Negli ultimi anni anche i paesi del nord Europa hanno avuto un piccolo calo della natalità. Ma ci sono (10) alle/per le/delle eccezioni: Germania e Francia. La prima è rimasta stabile, la Francia, invece, ha visto aumentare le nascite, grazie a una generosa politica di (11) aiuti/aiuta/aiutare alle famiglie.

Per il futuro, l'Istituto di Vienna prevede che nel 2050 in Italia saremo 6 milioni di persone in più, ma quasi il 70% della popolazione (12) sia/sarà/è stata over-65, contro una media Ue comunque già alta, al 60%.

Adattato da www.eunews.it/ (Camilla Tagino)

CD 2

17. a. Ascolta il brano, tratto da una trasmissione radiofonica dedicata al tema del lavoro, e abbina ogni parola alla definizione corretta.

1. stage
2. precariato
3. contratto
4. mutuo

a. accordo che pone delle regole, per esempio nel lavoro
b. prestito ottenuto da una banca per comprare una casa
c. periodo di formazione o perfezionamento professionale
d. condizione di un lavoratore che ha un lavoro non sicuro e senza garanzie

b. **Adesso, leggi le affermazioni che seguono, ascolta di nuovo il brano e indica le cinque informazioni veramente presenti.**

1. Alessandro tornerà a vivere con i suoi genitori a Lecce.
2. I nuovi contratti danno una grande sicurezza economica ai giovani d'oggi.
3. L'acquisto di una casa per chi ha contratti a tempo determinato diventa sempre più difficile.
4. Il precariato è un problema che riguarda solo i giovani sotto i 30 anni.
5. Valerio lavora, ormai da 5 anni, con un contratto di lavoro a tempo indeterminato.
6. Valerio ha una famiglia da mantenere.
7. Sabrina si accontenterebbe anche di un lavoro di pochi mesi.
8. Sabrina si sente umiliata e presa in giro.
9. Alessandro lavora come responsabile di un museo d'arte moderna a Firenze.
10. Con la scusa degli stage molte aziende utilizzano mano d'opera gratuita.

Test finale

A   Scegli l'alternativa corretta.

1. "Avrei tante cose da dire a proposito del viaggio in Australia."
   a) Ha detto che ha avuto tante cose da dire a proposito del viaggio in Australia.
   b) Ha detto che avrebbe tante cose da dire a proposito del viaggio in Australia.
   c) Ha detto che aveva avuto tante cose da dire a proposito del viaggio in Australia.

2. Ha detto che era una persona semplice e che cercava solo di vivere la sua vita nel miglior modo possibile.
   a) "Sono una persona semplice e cerco solo di vivere la mia vita nel miglior modo possibile."
   b) "Sono una persona semplice e cerca solo di vivere la sua vita nel miglior modo possibile."
   c) "Ero una persona semplice e ho cercato solo di vivere la mia vita nel miglior modo possibile."

3. "Non ti fermare in questo Autogrill perché non si mangia bene."
   a) Mi ha detto di non fermarti in quest'Autogrill perché non si mangiava bene.
   b) Mi ha detto di non fermarci in quell'Autogrill perché non si mangia bene.
   c) Mi ha detto di non fermarmi in quell'Autogrill perché non si mangiava bene.

4. "Se mi fossi accorto di essere stato maleducato mi sarei certamente scusato."

   a) Ha detto che se si fosse accorto di essere maleducato si scuserebbe certamente.

   b) Ha detto che se si fosse accorto di essere stato maleducato si sarebbe certamente scusato.

   c) Ha detto che se mi accorgevo di essere stato maleducato mi sarei certamente scusato.

5. "Bambini, fate meno rumore: papà sta riposando!"

   a) Ci ha chiesto di fare meno rumore perché papà stava riposando.

   b) Ci chiese fate meno rumore poiché papà sta riposando.

   c) Ci chiede di fare meno rumore perché papà riposa.

6. "Se telefona il mio ragazzo, ditegli che sono andata a trovare mio zio."

   a) Ha detto che se telefona il suo ragazzo, ditegli che sono andata a trovare mio zio.

   b) Ha detto che se telefona il suo ragazzo, di dirgli che è andata a trovare suo zio.

   c) Ha detto che se avesse telefonato il suo ragazzo, di dirgli che andrebbe a trovare suo zio.

B Scegli il termine corretto e completa il testo.

Una laurea, un dottorato di ricerca in Sociologia e poi… pasticceria! È questo il percorso di Camilla Rossi, 29 anni, che, dopo aver speso anni nell'università italiana, ha scelto di (1)....................................... alla sua grande passione: le torte. «Il dottorato in Italia non aiuta a trovare lavoro. Avevo le (2)....................................... e avevo un sogno».

Va a Londra, ospite di un'amica, alla quale confessa di essere rimasta affascinata dal sito della Little Venice Cake Company, la scuola di dolci che serve la Casa reale e tutti i vip britannici. Inizia a lavorare in una pasticceria londinese («Eravamo otto persone in un piccolo spazio, senza aria condizionata, niente tempo libero, ma tanto entusiasmo») (3)....................................... presentare il proprio curriculum e ricevere il primo no. «Sapevo che (4)....................................... difficile. Ma non potevo accettare così quel rifiuto». Così ha insistito e ha chiesto alla direttrice dei corsi se (5)....................................... metterla in lista d'attesa. L'hanno richiamata lo stesso pomeriggio per una prova ed è stata accettata.

Il resto della storia parla di un master (6)....................................... con ottimi risultati, di un ritorno in Italia perché «nel mio Paese io ci sto bene», e di un'impresa personale, Camilla Rossi Torte, che sta (7)....................................... un grande successo. Il segreto? «Credere in (8)....................................... che faccio, e farlo bene; utilizzare sempre gli ingredienti migliori, e proporre un tipo di prodotto che prima non c'era».

Adattato da http://*www.corriere.it* (Elisabetta Curzel)

1.	a. dedicare	b. dedicarsi	c. offrirsi	d. darsi
2.	a. capacità	b. domande	c. risposte	d. scuole
3.	a. prima da	b. prima che	c. prima	d. prima di

4. a. è stato   b. sarebbe stato   c. era stato   d. fosse stato
5. a. avessero   b. possono   c. potessero   d. avessero potuto
6. a. chiuso   b. concluso   c. fatto   d. conquistato
7. a. ottenendo   b. realizzando   c. facendo   d. producendo
8. a. quale   b. quanto   c. tanto   d. quello

C   Risolvi il cruciverba.

ORIZZONTALI

5. Lo è chi ha abbandonato il proprio paese per venire a lavorare in Italia.
7. Vivere insieme senza essere sposati.
8. Sinonimo di *galera*, *carcere*.
9. I genitori della moglie o del marito.
10. Un grande architetto italiano contemporaneo.

VERTICALI

1. Una persona che non ha lavoro.
2. Suoi sono gli affreschi della volta della Cappella Sistina in Vaticano.
3. Sinonimo di *diminuzione*.
4. Completa il proverbio:
   Le bugie hanno le gambe ...
6. Sinonimo di *criminalità organizzata*.

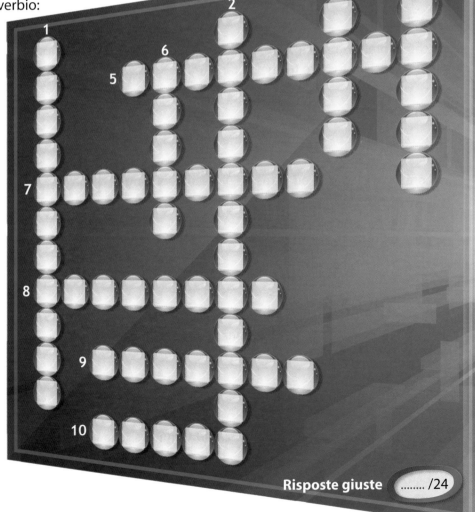

Risposte giuste .... /24

145

Attività Video - episodio *Non sono io il ladro!*

Per cominciare...

Leggi le battute e prova a metterle in ordine scrivendo il numero nel riquadro (1-4). Secondo te, che cosa hanno trovato Gianna e Lorenzo?

| ☐ Ma perché lo prendi così? | ☐ O gli è stato rubato. | ☐ Oh guarda! | ☐ Qualcuno l'ha perso. |

Guardiamo

1 Guarda l'intero episodio e verifica le ipotesi fatte nell'attività precedente.

2 Guarda il video e abbina le battute alle scene.

a. Perché lo prendi così? Non è mica un'arma!
b. No! Perché, se ci fossero tu che ne faresti?

c. Parla tu! Io non sono brava in queste cose.
d. Questa è matta...

Facciamo il punto

Lorenzo riferisce spesso a Gianna le parole che l'anziana signora gli dice al telefono. Immagina cosa gli dice.

1. Lorenzo a Gianna: "Andava a fare gli esami del sangue da un medico amico del suo 'povero' marito!"
   L'anziana signora a Lorenzo:
   "..
   ...."

2. Lorenzo a Gianna: "Dice che aveva con sé più di 150 euro..."
   L'anziana signora a Lorenzo:
   "..
   ...."

3. Lorenzo a Gianna: "Dice che l'abbiamo seguita, spiata e poi derubata!"
   L'anziana signora a Lorenzo: "..
   ...."

1. Completa le frasi con il gerundio semplice.

1. (Avere) .... da parte un po' di soldi, sono andato in vacanza a Cuba.

2. Studiavo (ascoltare) .... la radio.

3. Solo (lavorare) .... giorno e notte potremmo riuscire a finire questo progetto.

Cuba, Havana

4. Non (capire) .... bene la lingua, non sono riuscito a rispondere correttamente.

5. Anche (volere) ...., non potrei uscire con voi stasera.

6. (Tornare) .... a casa ho incontrato Laura e Camilla.

2. Trasforma la parte in blu delle frasi usando il gerundio semplice, secondo il modello.

Poiché ho seguito le sue indicazioni, sono arrivato subito.
Seguendo le sue indicazioni, sono arrivato subito.

1. In quel negozio si possono trovare bei vestiti anche se si spende poco.
In quel negozio si possono trovare bei vestiti anche ....
....

2. Se piangi, non risolverai nulla.
...., non risolverai nulla.

3. È uscita e ha sbattuto la porta.
È uscita ....

4. Se bevi meno coca cola forse ti passerà il mal di pancia.
.... meno coca cola forse ti passerà il mal di pancia.

5. Se posso scegliere, propongo di restare a casa.
...., propongo di restare a casa.

6. Mentre correvo nel parco, sono caduto.
.... nel parco, sono caduto.

7. Poiché esco sempre tardi dal lavoro, non ho tempo per andare in palestra.
.... sempre tardi dal lavoro, non ho tempo per andare in palestra.

3. Trasforma le frasi usando il gerundio presente o passato, secondo il modello.

Sapevo cosa era successo perché avevo letto il giornale.
Avendo letto il giornale, sapevo cosa era successo.

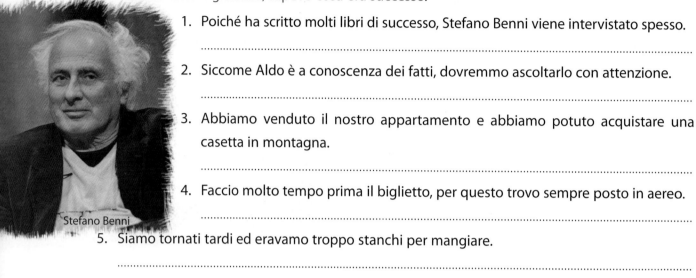

Stefano Benni

1. Poiché ha scritto molti libri di successo, Stefano Benni viene intervistato spesso.

....

2. Siccome Aldo è a conoscenza dei fatti, dovremmo ascoltarlo con attenzione.

....

3. Abbiamo venduto il nostro appartamento e abbiamo potuto acquistare una casetta in montagna.

....

4. Faccio molto tempo prima il biglietto, per questo trovo sempre posto in aereo.

....

5. Siamo tornati tardi ed eravamo troppo stanchi per mangiare.

....

6. Poiché non vedevo più il mio cane in giardino, per paura che gli fosse successo qualcosa sono uscito fuori a cercarlo.

....

4. Completa le frasi con il gerundio presente o passato dei verbi dati.

andarsene	regalare	trattarsi
viverci	conoscerlo	riposarsi

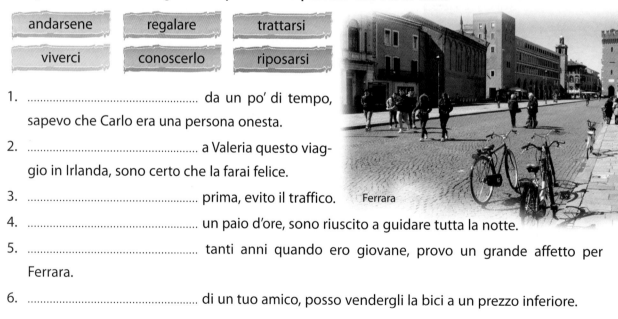

Ferrara

1. .... da un po' di tempo, sapevo che Carlo era una persona onesta.

2. .... a Valeria questo viaggio in Irlanda, sono certo che la farai felice.

3. .... prima, evito il traffico.

4. .... un paio d'ore, sono riuscito a guidare tutta la notte.

5. .... tanti anni quando ero giovane, provo un grande affetto per Ferrara.

6. .... di un tuo amico, posso vendergli la bici a un prezzo inferiore.

5. Abbina i consigli, le istruzioni e gli ordini all'immagine corrispondente.

1. ____ Non avvicinarsi!
2. ____ Vietato fumare!
3. ____ Lavarsi le mani.
4. ____ Proteggere gli occhi.
5. ____ Leggere le istruzioni!
6. ____ Non usare il cellulare!
7. ____ Vietato fare fotografie!
8. ____ Lavare a mano.

6. Abbina le due colonne.

1. La porta si apre verso l'esterno:	a. chiedere di Mario.
2. In ospedale è severamente	b. non toccare la merce esposta.
3. Per informazioni sull'appartamento	c. spingere, prego.
4. Ma che dieta! Ho visto Dario	d. vietato fumare.
5. Per ulteriori informazioni sul corso,	e. mangiare una pizza enorme.
6. Si prega la gentile clientela di	f. rivolgersi alla segreteria

7. Completa le frasi usando l'infinito presente o passato, secondo il modello.

Luca è tornato alle tre del mattino.
Incredibile! Tornare così tardi il giorno prima di un esame!

1. - Dove è andata Maria?

   - Deve .... a prendere qualcosa al supermercato.

2. Ho sentito mia madre che si alzava alle 6 di mattina.

   Ho sentito mia madre .... alle sei di mattina.

3. - Hai capito tutto quello che ti ha detto l'insegnante?

   - Credo di .... solo la prima parte.

4. Se devo essere sincero, il tuo vestito non mi piace proprio!

   A .... sincero, il tuo vestito non è proprio bellissimo.

5. Il ballo a me piace tanto, per questo ora prendo lezioni di tango.

   .... mi piace tanto, per questo ora prendo lezioni di tango.

6. - Hai sentito del nuovo concorso?

   - Se non sbaglio, mi sembra di .... qualcosa in ufficio.

149

8. Coniuga i verbi al gerundio presente o passato o all'infinito presente o passato.

1. L'ultimo film di Matteo Garrone è da (vedere) ....

2. L'inquinamento sta (mettere) .... in pericolo il futuro del pianeta.

3. Dopo (pranzare) .... sono uscito a fare una passeggiata.

4. Per (arrivare) .... al Duomo, deve (prendere) .... la prima strada a sinistra.

5. (Bere) .... tanto ieri sera, siamo stati male tutta la notte.

Matteo Garrone

6. Mi sembra di non (leggerlo) .... questo libro, neppure la recensione, me lo puoi prestare?

7. Prima di (partire) .... per la Grecia, mi sono fermato qualche giorno nel Salento a casa di amici.

8. (Trovare) .... un buon lavoro, Gianni e Marcella hanno deciso di comprare un appartamento.

9. Trasforma con il participio presente, come da modello.

È uno che ama la buona cucina.
È un amante della buona cucina.

1. Quelli che manifestavano hanno gridato slogan contro il governo.

I .... hanno gridato slogan contro il governo.

2. È una cosa che preoccupa veramente.

È una cosa veramente ....

3. Abbiamo chiesto informazioni ad uno che passava.

Abbiamo chiesto informazioni ad un ....

4. Secondo me, i test con le parole che mancano sono un po' difficili.

Secondo me, i test con le parole .... sono un po' difficili.

5. È un film molto bello, racconta una storia che emoziona.

È un film molto bello, racconta una storia ....

6. È una persona che affascina tutti.

È una persona molto ....

10. Completa le frasi con il participio presente dei verbi dati.

1. promettere	Micaela Ramazzotti è un'attrice ....
2. cantare	La nostra amica è una .... molto brava.
3. derivare	Sono tanti i problemi .... dal non mangiare bene.
4. seguire	Completa le frasi con le parole ....
5. rappresentare	Sandro è il .... della sua classe.
6. divertire	Lo spettacolo che abbiamo visto è davvero ....

Micaela Ramazzotti

11. Forma il participio passato dei verbi dati e completa le frasi.

invitare • fare • considerare • finire • amare • rispettare • riposarsi

1. .... la lezione, mi sono fermata al bar con Giulia a bere un caffè.

2. I dolci .... in casa hanno un sapore completamente diverso da quelli che compriamo al supermercato.

3. .... un po', ho potuto continuare il lavoro che dovevo finire.

4. Mario è una persona .... e .... da tutti.

5. Gli .... sono andati via tardi.

6. .... i fatti, mi sembra che il problema si possa risolvere facilmente.

12. Scegli la forma verbale corretta.

1. Avere capito/Avendo capito/Capito perfettamente la lezione, non avevo avuto bisogno di studiare.

2. Terminando/Terminati/Essere terminati gli esami, siamo andati tutti insieme a festeggiare.

3. Essendo tornato/Tornando/Essere tornato a casa ho incontrato un amico che non vedevo da tempo.

4. Il libri che mi consigli tu sono sempre molto interessanti/interessati/interessando.

5. Piero è un ottimo alunno: è sempre molto interessante/interessato/interessando alla lezione.

6. Ti ho comprato questo regalo pensando/avendo pensato/pensante che ti sarebbe piaciuto.

13. Scrivi i seguenti nomi sotto le immagini, come nell'esempio.

trombone • cavallo • gattino • pentola • fiore • gatto • tromba • cavallino • fiorellino • pentolone

1. ....   2. ....   3. ....   4. ....   5. ....

6. ...... fiorellino ......   7. ....   8. ....   9. ....   10. ....

14. Trasforma con i suffissi -ino/a, -ello/a, -etto/a, -one/a, -accio/a.

1. Ho passato una magnifica settimana sulle rive di un piccolo lago di montagna.

   Ho passato una magnifica settimana sulle rive di un .... di montagna.

   Lago di Alleghe, Belluno

2. Sono nato in un piccolo paese della Calabria.

   Sono nato in un .... della Calabria.

3. Ha preso un piccolo pezzo di torta.

   Ha preso un .... di torta.

4. Per fortuna è finita! È stata proprio una brutta giornata!

   Per fortuna è finita! È stata proprio una ....!

5. Ha comprato una grossa macchina.

   Ha comprato un ....

6. Nel mio paese c'è una piccola piazza con una fontana del '500.

   Nel mio paese c'è una .... con una fontana del '500.

7. Chi leggerà questo grosso libro?

   Chi leggerà questo ....?

15. a. Scrivi i nomi alterati, come nell'esempio.

Nome	Diminutivo	Accrescitivo	Peggiorativo
1. libro		librone	
2. ragazzo			
3. valigia			–
4. casa			
5. lavoro			
6. strada			

b. Completa le frasi con uno dei nomi alterati dell'esercizio 15a.

1. Non ti preoccupare, Marina! A volte gli uomini non pensano alle conseguenze e si comportano come dei .... di quindici anni.

2. Il fine settimana scorso siamo andati in campagna da Gino: ha una bellissima .... con giardino.

3. Lo leggerai in poche ore: è un .... di poche pagine.

4. Te l'avevo detto che in macchina non si poteva arrivare, si tratta di una .... brutta e pericolosa.

5. Vedi?! Abbiamo finito anche questo ....: è stato facile e divertente. Non credi anche tu, Laura?

6. È stata proprio una brutta giornata: mi hanno rubato la .... con tutti i documenti e ho anche perso l'aereo.

16. Sottolinea nei 6 gruppi la parola che non è un nome alterato.

1.	mammina	stradina	regina	gattina
2.	uccellino	bambino	ragazzino	vestitino
3.	ragazzone	azione	macchinone	tavolone
4.	manina	tavolino	quadernino	magazzino
5.	giardino	orologino	sorrisino	dentino
6.	cassetto	casetta	libretto	foglietto

17. Scegli la parola corretta.

4 AUTORI PER 4 CITTÀ

L'idea nasce con lo scopo (1) di/per/da dare vita alle biblioteche scolastiche, (2) regalato/regalando/avere loro quei libri considerati necessari, che accompagnano i ragazzi (3) della/nella/per la crescita, che li aiutano "a diventare grandi", indipendenti, così (4) a/di/da esprimere se stessi e il proprio pensiero.

Quello di regalare una biblioteca (5) dedicare/dedicando/dedicata ai ragazzi è importante, perché attraverso l'amore (6) per la/sulla/della libera lettura possono scoprire i propri interessi, le proprie passioni, le proprie emozioni, il proprio coraggio…

A questi appuntamenti nelle scuole elementari e superiori parteciperanno (7) importati/importando/importanti personaggi del mondo della lettura che racconteranno (8) a/di/per quei libri che compongono la propria biblioteca e che dovrebbero essere presenti in ogni scuola. Ecco le date e i dettagli degli incontri...

CD 2

29

18. Ascolta il brano, tratto dal libro *Va' dove ti porta il cuore* di Susanna Tamaro, e indica l'affermazione giusta tra quelle proposte.

1. Alla protagonista, tra l'altro, piaceva di Ernesto
   a. il suo modo di essere e di concepire il mondo
   b. il fatto che non credesse in Dio
   c. il suo passato da eroe

2. Era molto importante che lei ed Ernesto
   a. potessero parlare di molti argomenti come se si conoscessero da sempre
   b. amassero le stesse cose
   c. fossero tutti e due liberi

3. Secondo Ernesto, gli uomini
   a. hanno molte possibilità di trovare la persona che cercano veramente
   b. sono destinati a rimanere soli per tutta la vita
   c. devono spesso accontentarsi di relazioni poco profonde

Susanna Tamaro

Va' dove ti porta il cuore

Test finale

A   Scegli l'alternativa corretta.

1. Ti hanno presentato Stefano? È un ragazzo veramente (1)...............................! (2)...........................
......., sono sicuro che ti piacerebbe.

   (1) a) interessato
       b) interessando
       c) interessante

   (2) a) Conoscerti
       b) Conoscendoti
       c) Avendoti conosciuto

2. (1)............................ anche l'angolo Internet, la libreria (2)............................ da poco nel nostro
quartiere è piaciuta in modo particolare ai giovani.

   (1) a) Aver avuto
       b) Avendo
       c) Avente

   (2) a) aperta
       b) aprendo
       c) aprente

3. Il postino ha portato un (1)............................ per te. L'ho lasciato sul (2)............................del
salotto.

   (1) a) pacconaccio
       b) pacchetto
       c) pacchello

   (2) a) tavolino
       b) tavolinaccio
       c) tavolonetto

4. (1)............................ tanto per il mondo, mio nonno conosceva tantissime (2)............................
fantastiche.

   (1) a) Viaggiato
       b) Avendo viaggiato
       c) Aver viaggiato

   (2) a) storielle
       b) storiellette
       c) storiucce

5. A chi non piace (1)............................ in poltrona a (2)............................ un bel libro?

   (1) a) stare seduto
       b) stando seduti
       c) sedendosi

   (2) a) essere letto
       b) leggere
       c) leggendo

6. (1)............................ è stata per me una grande fortuna! Per questo ti prego di accettare questo (2).............................

   (1) a) Avendoti conosciuta
       b) Conosciutati
       c) Averti conosciuta

   (2) a) regalino
       b) regalaccio
       c) regalato

B Abbina le due colonne e completa le frasi.

1. Non conoscendo la città,
2. Camminare un'ora al giorno
3. Mario organizza sempre
4. È stato sempre il suo sogno
5. Avendo rotto il contratto
6. Avvisarono con una mail

a. feste molto divertenti.
b. non avevo più nessun obbligo.
c. tutti i partecipanti al corso.
d. ci perdemmo subito.
e. è un ottimo esercizio.
f. comprarsi una casetta in campagna.

C Risolvi il cruciverba.

ORIZZONTALI

3. L'autore del libro *Gli amori difficili*.
5. Participio presente di *amare*.
6. Lo diciamo di una persona sentimentale, poetica, sognatrice.
8. Previsioni che riguardano i vari segni zodiacali.
9. Un piccolo albero.

VERTICALI

1. Un grande quaderno.
2. L'autore del libro *Gli indifferenti*.
3. La mafia a Napoli.
4. Colore... del romanzo poliziesco.
7. Chi crea un'opera letteraria, artistica, scientifica.

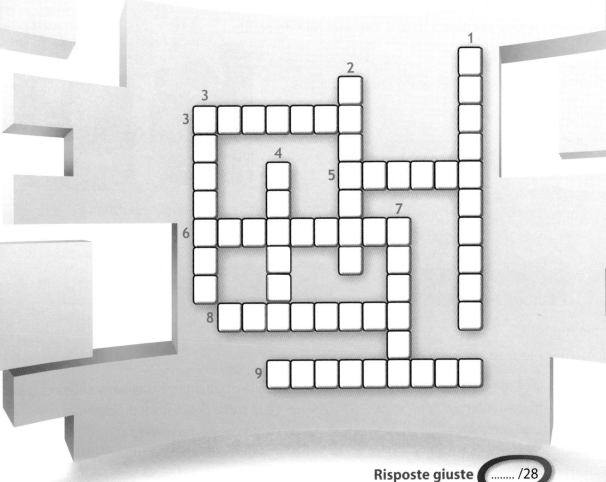

Risposte giuste .... /28

Attività Video - episodio *Un libro introvabile*

Per cominciare...

1 Guarda i fotogrammi e in coppia provate ad abbinarli alle battute.

a. Adesso che cosa regalo io a Caterina?

b. Vedrà, sua nipote ne sarà entusiasta!

c. Può controllare meglio, per piacere?

d. Mi dispiace signore, ma è un libro che sta vendendo molto.

2 Prova ora a mettere in una sequenza logica i fotogrammi visti nell'attività preceden-te. Puoi prevedere lo svolgimento dell'episodio?

Sequenza dei fotogrammi: ☐ ☐ ☐ ☐

Guardiamo

1 Guarda il video e controlla le ipotesi fatte nelle attività precedenti.

2 Osserva le due sequenze date e rispondi alle domande.

Beh, restando nelle biografie, ci sarebbe questa... questa biografia di Barack Obama, per esempio.

1. Il commesso usa l'espressione evidenziata per dire ....

....

....

Ho capito! Sì, ci sono!

2. Il commesso usa l'espressione evidenziata per dire ...

....

....

Facciamo il punto

Ricostruisci le frasi abbinando le due parti.

1. Io sono venuto qui
2. Aspetti, magari sullo scaffale
3. Mi potrebbe consigliare qualcosa
4. Tra la biografia della Pausini e
5. Però se vuole qualcosa di più moderno,

a. quella di Obama c'è una bella differenza...!
b. c'è la storia del Festival di Sanremo.
c. sicuro che l'avrei trovato...
d. di adatto ad una ragazzina di quell'età?
e. ne è rimasta una copia.

4° test di ricapitolazione (unità 10 e 11)

A Trasforma le frasi dal discorso diretto al discorso indiretto.

1. Ha chiesto: "Per favore, mi puoi portare un bicchiere d'acqua?"

    Mi ha chiesto se ....

    ....

2. Francesco disse: "Questo quadro non è niente di speciale; anch'io sarei capace di farne uno simile!"

    Francesco credeva che ....

    ....

3. Stefano mi consigliò: "Cerca di mettere da parte qualche euro, altrimenti resterai senza soldi prima della fine del mese."

    Stefano mi consigliò di ....

    ....

4. Sabrina ha ricevuto questo SMS dal suo fidanzato: "Prepara tutto il necessario, ho già prenotato per una settimana sulla Costa Smeralda."

    L'SMS inviato a Sabrina dal suo fidanzato diceva di ....

    ....

5. Ha detto: "È ora che tu la smetta di fare il bambino e cominci a fare la persona seria! Hai ormai 30 anni!"

    Sua madre gli ha detto che ....

    ....

6. Stefania: "Come stai? Ho saputo che sei stata poco bene e mi ero preoccupata."

    Stefania chiese a Chiara ....

    ....

    .... /6

B Trasforma le frasi mettendo al modo e al tempo giusti le parti evidenziate in blu.

1. Mentre tornavo a casa, mi ha chiamato sul cellulare Aldo.

    .... a casa, mi ha chiamato sul cellulare Aldo.

2. Poiché avevo lavorato molto, me ne sono andato per una settimana in montagna.

    .... molto, me ne sono andato per una settimana in montagna.

3. Poiché ne avevamo parlato a lungo, riconoscemmo subito il suo amico spagnolo.

    .... a lungo, riconoscemmo subito il suo amico spagnolo.

4. Mentre venivo, mi sono ricordato di aver lasciato la luce del bagno accesa.

    ...., mi sono ricordato di aver lasciato la luce del bagno accesa.

5. Poiché avevano già visto quello spettacolo teatrale, non vennero con noi.

    .... quello spettacolo teatrale, non vennero con noi.

6. Mi sono fatto male mentre sciavo.

    Mi sono fatto male ....

7. Solo se si studia seriamente si superano gli esami!

    .... seriamente si superano gli esami!

8. Poiché avevo letto il libro, sapevo come finiva il film.

    .... il libro, sapevo come finiva il film.

    .... /8

C   **Trasforma le seguenti frasi in base al significato.**

1. Dopo che siamo arrivati in albergo abbiamo fatto una doccia e siamo andati a ballare.

    Dopo .... in albergo abbiamo fatto una doccia e siamo andati a ballare.

    .... in albergo abbiamo fatto una doccia e siamo andati a ballare.

2. Dopo che avevo accompagnato i miei all'aeroporto sono passato a prendere Chiara.

    Dopo .... i miei all'aeroporto sono passato a prendere Chiara.

    .... i miei all'aeroporto sono passato a prendere Chiara.

3. Dopo che abbiamo mangiato la torta abbiamo capito che non era tanto fresca.

    Dopo .... la torta abbiamo capito che non era tanto fresca.

    .... la torta abbiamo capito che non era tanto fresca.

    .... /6

D   **Trasforma, in base al significato, i sostantivi in blu.**

1. Vive in una casa enorme: vive in una ....

2. Questo piccolo anello è per te: un .... tutto tuo!

3. Rosa portava un piccolo cappello: Rosa portava un ....

4. Lui ha veramente un brutto carattere: lui ha un ....

5. Questo non è un paese molto grande: questo è un ....

6. È stato un grande successo: è stato un ....

    .... /6

Risposte giuste (........ /26)

1° test di progresso

A Leggi il testo e indica le affermazioni corrette.

Ho coltivato a lungo in me l'idea di poter lavorare, un giorno, a sceneggiature per il cinema. [...] Ora ho perso la speranza di lavorare mai a sceneggiature. Lui ha lavorato a sceneggiature, un tempo, quand'era più giovane. Ha lavorato lui pure in una casa editrice. Ha scritto racconti. Ha fatto tutte le cose che ho fatto io, più molte altre. Rifà il verso alla gente, e soprattutto a una vecchia contessa. Forse riusciva a fare anche l'attore.

Una volta, a Londra, ha cantato in un teatro. Era Giobbe. Aveva dovuto noleggiare un frac; ed era là, in frac, davanti a una specie di leggìo; e cantava. Cantava le parole di Giobbe. [...]

È stato un grande successo, e gli hanno detto che era molto bravo. Se io avessi amato la musica, l'avrei amata con passione. Invece non la capisco. [...]

Mi piace cantare. Non so cantare, e sono stonatissima; canto tuttavia, qualche volta pianissimo, quando son sola. Che sono così stonata, lo so perché me l'hanno detto gli altri; dev'essere, la mia voce, come il miagolare d'un gatto. Ma io, da me, non m'accorgo di nulla; e provo, nel cantare, un vivo piacere. [...]

Di non capire la pittura, le arti figurative, non me ne importa; ma soffro di non amare la musica. [...] Se a volte sento una musica che mi piace, non so ricordarla; e allora come potrei amare una cosa, che non so ricordare? [...]

Tutto il giorno si sente musica, in casa nostra. Lui tiene tutto il giorno la radio accesa. O fa andare dei dischi. Io protesto, ogni tanto, chiedo un po' di silenzio per poter lavorare; ma lui dice che una musica tanto bella è certo salubre per ogni lavoro.

Adattato da Lui e io, Le piccole virtù di Natalia Ginzburg

1. La narratrice, da giovane, non ha lavorato come sceneggiatrice.

2. L'uomo di cui si parla si chiama Giobbe.

3. L'uomo ha fatto anche l'attore.

4. La narratrice ha con sé, in casa, un gatto.

5. Alla narratrice sarebbe piaciuto saper amare la musica.

6. A casa dei protagonisti c'è sempre silenzio.

B Leggi il testo e rispondi alla domanda.

Sono fidanzata da 4 anni con un ragazzo molto simpatico e tenero, che però negli ultimi tempi si sta dimostrando geloso oltre misura. Ha avuto delle vere e proprie crisi che mi hanno sconvolta e terrorizzata; ha cominciato a bere in modo eccessivo e a minacciarmi anche fisicamente. Quando torno dall'università mi fa il terzo grado, e la mia vita è piena di divieti: non posso rimanere a dormire dalle mie amiche, non gli va se mi taglio i capelli. Non so cosa fare, questa situazione mi pesa; se si avvicina qualcuno che io conosco e lui no, temo che reagisca male. Sono attaccata a lui, ma nello stesso tempo comincio ad avere paura. Se si comporta così adesso che siamo fidanzati, come si comporterà quando saremo sposati?

Tratto da Grazia

Quali problemi si trova ad affrontare l'autrice di questa lettera?
(Da un minimo di 15 ad un massimo di 25 parole)

....

....

....

C   **Collega le frasi con le opportune forme di collegamento. Se necessario, elimina o sostituisci alcune parole. Trasforma, dove necessario, i verbi nel modo e nel tempo opportuni.**

1.   - mi hanno finalmente portato il computer

   - avevo pagato il computer in contanti

   - hanno tardato parecchio

   ....

   ....

2.   - avevo la febbre

   - ho continuato a lavorare

   - dovevo consegnare il lavoro in giornata

   ....

   ....

3.   - quando ero all'Università abitavo in una pensione

   - nella pensione erano ospitati tanti stranieri

   ....

   ....

4.   - Alberto vuole andare in vacanza

   - Alberto non ha soldi sufficienti per andare in vacanza

   - Alberto decide di lavorare per un mese

   ....

   ....

5.   - non siamo sicuri di partire per Parigi

   - ho prenotato una suite costosissima

   - tutte le camere sono prenotate

   ....

   ....

6.   - Claudia ha regalato un libro a Eugenio

   - a Eugenio il libro è piaciuto moltissimo

   - ha letto il libro tutto d'un fiato

   ....

   ....

D Abbina le informazioni sottoelencate all'articolo corrispondente.

A ## PORTA IL TUO CANE IN VACANZA SENZA PROBLEMI

Anche Fido si sta preparando a partire per le vacanze? Per un cane viaggiare in macchina è causa d'ansia, soprattutto se è emotivo e non è abituato alle quattro ruote.

In macchina non ci deve essere troppo caldo: il cane, infatti, lo soffre molto. Se c'è l'aria condizionata, meglio non tenerla al massimo. Se, invece, non c'è è bene tenere il finestrino abbassato quel tanto che basta per far circolare l'aria. Mai lasciare Fido in auto da solo, tanto meno al sole. La temperatura all'interno dell'auto può salire velocemente oltre i 40 gradi.

Lo dice anche il Codice della Strada. Per non diventare pericoloso in auto, il cucciolo deve stare sul sedile posteriore. In ogni caso, è importante creargli un posto confortevole. Magari sistemando sul sedile alcuni cuscini.

C'è sempre un oggetto a cui il cucciolo è particolarmente affezionato. Può essere un gioco, una copertina, un cuscino. Vale la pena portarlo in macchina: servirà a distrarre il cane e contribuirà a farlo stare più tranquillo.

Adattato da *www.donnamoderna.com* (G. Mari)

B ## IL CUCCIOLO IMPARA LE BUONE MANIERE

È come per i bambini: anche ai cani le buone maniere vanno insegnate sin da piccoli. Nei primi 60 giorni è la mamma a dare al cucciolo le basi del galateo. Dopo, la palla passa al padrone.

"Per i cagnolini sono previste delle lezioni speciali: le cosiddette *Puppy Class* (lezioni per cuccioli)" dice Maria Aniello, educatrice dell'importante Centro cinofilo Alaska Kennel di Perugia. Obiettivo principale dei corsi è far socializzare il cagnolino con altri animali e gli estranei.

Mordicchiare le dita della mano è il passatempo preferito di ogni cucciolo. Lo fa perché usando la bocca scopre il mondo che lo circonda. Ma è un'abitudine da togliergli, altrimenti da adulto può diventare pericoloso.

Quando gioca all'aperto diventa proprio come un bambino. Non risponde ai richiami. Li ignora perché sa che il più delle volte correre dal padrone significa porre fine al divertimento e rientrare a casa. Che fare? Perché obbedisca bisogna offrirgli una piacevole alternativa come per esempio una carezza o un gioco.

Adattato da *www.donnamoderna.com* (A. Piersigilli)

1. Andare in auto non mi piace molto.   A   B
2. I primi due mesi li passo con la mamma.   A   B
3. Domani vado a lezione.   A   B
4. Io, in macchina, mi siedo sempre dietro.   A   B
5. In vacanza mi porterò la mia palla preferita.   A   B
6. Mi piace tantissimo correre all'aperto.   A   B
7. Questo caldo mi distrugge.   A   B
8. Per me, è importante imparare a stare in compagnia.   A   B

2° test di progresso

A   **Leggi il testo e indica le informazioni presenti.**

L'indomani mattina venne da me Maria Rosa, la madre di Berardo.

«Hai visto mio figlio?» mi chiese. «Ha dormito in casa tua? Non ho chiuso occhio ad aspettarlo.»

Le sue parole assai mi sorpresero, ma non dissi alla madre quello che mi fecero pensare.

La povera vecchia risalì a stento l'intero vicolo e la vidi affacciarsi alla porta di Scarpone per domandare anche a lui se avesse visto Berardo.

In campagna incontrai proprio Berardo.

«Venivo a trovarti» mi disse con una voce veramente strana e nuova e senza guardarmi in faccia. «Dovrei parlarti.»

«Tua madre ti cerca di casa in casa» gli risposi.

Ma Berardo non vi fece caso e si mise a camminare accanto a me, indovinando dal tono della mia voce che io sapevo tutto.

«Non devi arrabbiarti» mi disse ad un tratto. «Quello che è successo doveva succedere.»

...

«Che cosa pensi di fare?» allora gli chiesi.

«Mi sposerò» disse «ma prima di tutto e al più presto devo mettermi a posto, devo rifarmi la terra. Penso che tu sarai d'accordo.»

«Eh, non è facile, oggi» osservai. «Tu dovresti saperlo, Berardo, non è facile, hai già tentato un paio di volte e non t'è riuscito.»

«Riproverò» mi disse. «Ritenterò. Non si tratta più soltanto di me, ora; non è in gioco solo la mia vita, ora; e mi sento una forza dieci volte più grande. Vedrai.»

«Non dipende dalla forza» avrei voluto dirgli «non dipende dalla volontà, non dipende dal bisogno; rifarsi la terrra a Fontamara non è facile.»

Ci salutammo, ma tutto quel giorno pensai a Berardo e al bisogno urgente in cui si trovava di rifarsi la terra al più presto, visto che doveva sposare Elvira. Mentre lavoravo ... riflettei alla triste e pericolosa condizione di Elvira e mi convinsi che l'unica via di uscita poteva essere di trovare Berardo, per cinque o sei mesi, qualche lavoro pesante in città, di quei lavori che i cittadini rifiutano e che sono pagati meglio dei lavori di campagna, e al ritorno comprarsi qualcosa. Ma a chi rivolgersi per avere un buon consiglio?

...

«Qui non resto» ripeteva Berardo «Devo andar via. Ma dove?»

Ognuno vedeva che Berardo soffriva. Non era più l'uomo di prima, non scherzava, non rideva, evitava la compagnia.

«Solo don Circostanza può aiutarti» fui costretto a dirgli. «Lui ha molte relazioni.»

Berardo, Scarpone e io avevamo un piccolo credito con don Circostanza per un lavoro che gli avevamo fatto l'anno prima. Una domenica mattina andammo da lui per essere soddisfatti del nostro avere e per dar l'occasione a Berardo di chiedergli consiglio e aiuto per trovare un'occupazione in città.

Adattato da *Fontamara* di Ignazio Silone

1. Maria Rosa non è per niente preoccupata.
2. Maria Rosa non ha dormito tutta la notte.
3. Il protagosta incontra Berardo nella piazza del paese.
4. Berardo vuole comprarsi un pezzo di terra da lavorare.
5. Elvira è la moglie di Berardo.
6. Per mettere da parte un po' di soldi, Berardo potrebbe lavorare in città.
7. Berardo non ha nessuna voglia di andare via da Fontamara.
8. Don Circostanza deve dei soldi al protagonista, a Berardo e a Scarpone.

B **Leggi il testo e rispondi alla domanda.**

Non mi permetterei mai di cestinare una lettera dei miei lettori! E comunque voglio dare un piccolo consiglio anche a te, cara Francesca. La "dieta" che stai portando avanti è troppo schematica. Sono d'accordo con te che devi perdere alcuni chili, ma 10 sono un po' troppi. Perché non chiedi alla redazione di Gente le tabelle dietetiche che sono state pubblicate durante la primavera scorsa e raccolte adesso in un nuovo numero? Si tratta di una dieta equilibrata che puoi provare a seguire anche tu. Ciao.

Tratto da Gente

Cosa avrà chiesto alla giornalista la lettrice?
(Da un minimo di 15 ad un massimo di 25 parole)

....

....

....

C **Completa i due brevi testi. Inserisci una sola parola negli spazi numerati.**

a) Ha ottenuto la pensione di guerra a 96 anni. Protagonista (1).................................. vicenda un abitante di Raffadali (Agrigento). Reduce dalle operazioni belliche dell'Africa orientale, durante la seconda (2).................................. mondiale, aveva chiesto 36 anni fa la pensione di guerra, sostenendo che la colite cronica di cui soffriva era da mettere (3).................................. relazione al suo impiego in Africa. La commissione medica superiore lo esclude. La Corte dei conti gli ha dato finalmente (4)...................................

b) Una barbona di 65 anni che viveva sui marciapiedi di un quartiere di Parigi da 25 anni nascondeva 40mila euro nelle (1).................................. cinque valigie. A scoprirlo è stata la squadra di assistenza ai senzatetto quando sono intervenuti per (2).................................. la donna nel centro di accoglienza dei clochard. Gli agenti hanno consegnato il bottino al commissariato di zona. Era (3).................................. appropriato il soprannome "La principessa" che gli abitanti del quartiere (4).................................. avevano dato ironicamente per il trucco marcato.

Adattato da http://it.notizie.yahoo.com/ansa

D **Collega le frasi con le opportune forme di collegamento. Se necessario, elimina o sostituisci alcune parole. Trasforma, dove necessario, i verbi nel modo e nel tempo opportuni.**

1. - Alessandra vive con la nonna
   - la nonna di Alessandra è molto simpatica
   - alla nonna di Alessandra piace molto la compagnia della nipote

   ....
   ....

2. - abbiamo pensato di fare una crociera
   - non la settimana in montagna
   - vogliamo visitare i paesi mediterranei

   ....
   ....

3. - domani mattina vado in banca
   - domani è l'ultimo del mese
   - se in banca trovo una fila lunghissima non mi fermo

   ....
   ....

4. - Giovanni aveva un amico
   - Giovanni si fidava troppo del suo amico
   - alla fine il suo amico rubò a Giovanni il computer portatile

   ....
   ....

5. - oggi è il mio compleanno
   - oggi è il compleanno di Francesca
   - voglio telefonare prima io a Francesca

   ....
   ....

6. - ho comprato una nuova moto
   - ho altre due moto nel garage
   - questa nuova moto è ideale per i viaggi lunghi

   ....
   ....

3° test di progresso

A Leggi il testo e indica le affermazioni corrette.

Pericoli del web

L'oceano sconfinato e incontrollabile di Internet e la curiosità dei ragazzini. Queste due componenti mettono a rischio i minori, lasciati spesso soli con il loro pc. Sono oltre 25 milioni le pagine classificate come dannose su Internet, dove il pericolo è suddiviso in 40 categorie diverse e sono a rischio soprattutto i bambini, il 13% dei quali, chattando, è stato contattato da un pedofilo. Una situazione allarmante che deve essere al più presto messa sotto controllo e in qualche modo regolamentata.

Sono questi i dati presentati a Milano in una tavola rotonda organizzata dall'Osservatorio dei minori di Antonio Marziale, alla presenza di esperti di informatica, criminologi e psicoterapeuti. Anche se la mente va immediatamente alla piaga della pedofilia, si deve riflettere sul fatto che i pericoli del web sono vari. Tutto ciò fa spaventare i grandi ma rappresenta una reale minaccia soprattutto per i più giovani, abilissimi a navigare. Dall'incontro è emerso un dato certo: le tecnologie di prevenzione sono molto valide, ma per essere realmente efficaci i genitori devono prendere coscienza che tali strumenti da soli non sono sufficienti. Il 40% dei minori, secondo Roberto Puma, country manager di Panda Software Italia, passa ore collegato ad Internet, completamente da solo. E spesso gli adulti che stanno con loro, nonni, baby sitter sono completamente analfabeti da questo punto di vista.

La miglior soluzione rimane la navigazione in compagnia, unita a sistemi di web filtering facilmente gestibili e aggiornabili. Come afferma il Dr. Antonio Marziale, sociologo e Presidente dell'Osservatorio sui Diritti dei Minori, "Non c'è iniziativa legislativa che tenga se alla base non esiste la famiglia, che comunque deve essere messa in condizione di essere presente nella quotidianità dei più piccoli. Si diano incentivi economici alle mamme: in fondo è un mestiere."

Per far fronte ai pericoli del web, tutto il mondo dell'informatica sta studiando come proteggere i minori e impedire che Internet sia sommerso da un'enorme spazzatura. Al momento esistono in commercio validi strumenti di web filtering e sistemi sofisticati di monitoraggio che arrivano a controllare oltre 20 milioni di siti. Controllare la Rete e renderla sicura è praticamente impossibile, ma se a potenti tecnologie si affianca una legislazione ad hoc si potranno ottenere risultati davvero interessanti. Come sostiene il dottor Danilo Bruschi, presidente del Comitato Internet e Minori del Ministero delle Comunicazioni. Anche se l'unica contromisura oggi realmente efficace rimane una maggiore sorveglianza dei genitori.

Adattato da http://sociale.alice.it/estratti

1. I pericoli della Rete riguardano soprattutto
    a. le pagine Internet senza protezione
    b. i bambini
    c. gli esperti d'informatica

2. Spesso gli adulti non possono aiutare i bambini con Internet perché

   a. non sanno come comportarsi

   b. non conoscono la lingua italiana

   c. non conoscono le nuove tecnologie

3. Dall'articolo, tra l'altro, emerge la necessità

   a. di avere maggiori regole per Internet

   b. che tutti i bambini debbano utilizzare Internet

   c. di usare Internet solo in particolari ore del giorno

B **Completa il testo. Inserisci la parola mancante negli spazi numerati. Usa una sola parola.**

Firmino salì in camera sua. Fece una doccia, si rase, indossò un (1)................................ di pantaloni di cotone e una Lacoste rossa che gli aveva (2)................................ la sua fidanzata. Prese velocemente un caffè e uscì per strada. Era domenica, la città era quasi deserta. La gente dormiva ancora, e più tardi (3)................................ andata al mare.

Gli venne voglia di andarci anche lui, anche se non aveva il costume (4)................................ bagno, solo per prendere una boccata d'aria buona. Poi ci rinunciò. Aveva la sua guida con (5)................................ e pensò di andare alla scoperta della città, per esempio i mercati, le zone popolari che non (6)................................. Scendendo per le viuzze ripide della città bassa cominciò a trovare un'animazione che non sospettava. Veramente Oporto manteneva delle tradizioni che Lisbona aveva ormai perduto...

Tratto da *La testa perduta di Damasceno Monteiro* di Antonio Tabucchi

C **Leggi il testo e rispondi alla domanda.**

Mamma preferisce restare in città

Ogni anno si ripresenta il solito problema: le vacanze della mamma. Io e mia sorella siamo sposate e viviamo in città diverse dalla sua: lei benché anziana, se la cava ancora bene da sola, circondata da cani, gatti e fiori. Però l'afa la fa soffrire. E proprio a causa dei suoi "protetti" se la sorbisce tutta, perché non può allontanarsi da casa. Io e mia sorella avevamo trovato mille soluzioni, nessuna accettabile per lei. E così ci rimane solo il dispiacere di saperla morire di caldo.
Come calmare i nostri turbamenti?

Anna e Vittoria, Bologna

Perché volete crearvi un problema se la mamma è contenta così? Assecondatela, invece, e cercate di rendere la sua vita in città più confortevole.

Tratto da *Oggi*

Questa è la risposta data dalla giornalista alle due sorelle: Come avreste risposto voi?
(Da un minimo di 15 ad un massimo di 25 parole)

....

....

....
....
....

D Abbina le informazioni sottoelencate all'articolo corrispondente.

A GEMELLI

Lei

-*amore:* Fine settimana turbato dalla Luna nei Pesci: è meglio evitare discussioni con il partner.
-*lavoro:* La buona notizia che aspetti potrebbe tardare ancora, ma arriverà di sicuro entro la fine del mese.
-*salute:* Forma al massimo.

Lui

-*amore:* La voglia di sentirti libero da qualsiasi impegno familiare non piacerà certo alla partner: pensaci prima di prendere decisioni affrettate.
-*lavoro:* Chi è del 10 giugno e dintorni raggiungerà un importante traguardo.
-*salute:* Almeno a tavola cerca di rilassarti.

B CANCRO

Lei

-*amore:* Una nuova amicizia ti farà stare bene. E c'è chi farà una conquista.
-*lavoro:* Con Marte che arriva in Ariete dovrai sforzarti di essere più tollerante se vuoi che tutto vada bene.
-*salute:* Non accettare passaggi da chi alla guida non è molto attento.

Lui

-*amore:* Chi è di giugno si guardi dal pretendere troppo dalla partner.
-*lavoro:* La vita comoda piace molto ai nati del tuo segno, ma se vuoi il successo dovrai guadagnartelo.
-*salute:* Prudenza negli spostamenti domenica e lunedì.

tratti da *Donna Moderna*

1. È meglio partire nelle ore in cui c'è meno traffico.   A   B

2. Oggi mi sento in grandissima forma.   A   B

3. Questo problema lo discuterò con Vittorio un altro giorno.   A   B

4. Elsa, credo che tu piaccia veramente a quel ragazzo: ti guarda continuamente!   A   B

5. I risultati del concorso usciranno solo il 29. Speriamo bene...   A   B

6. No, io in macchina e con Gabriele al volante non viaggio.   A   B

7. Se vuoi un ambiente più sereno in ufficio, tratta meglio i tuoi dipendenti!   A   B

8. Non si fa carriera solo perché si conosce il presidente dell'azienda.   A   B

4° test di progresso

A Abbina le informazioni sottoelencate all'articolo corrispondente.

A Luglio in Eurostar in compagnia di Cézanne

Firenze - Due convogli Eurostar da stamani in viaggio per portare la mostra Cézanne a Firenze in giro per l'Italia.

Si tratta dell'ultima grande iniziativa promozionale che l'Ente Cassa di Risparmio dedica alla fortunata esposizione che ha promosso e realizzato a Palazzo Strozzi. Inaugurata il 1 marzo, Cézanne a Firenze si avvia infatti verso la chiusura prevista per domenica 29.

I due Eurostar viaggeranno con l'immagine di Madame Cézanne, uno dei più celebri ritratti che il pittore fece alla moglie, per l'intero mese di luglio sulle linee che collegano le principali città della penisola, in particolare sulla tratta Milano-Roma-Napoli.

Intanto la mostra naviga ormai a quota 230 mila visitatori. Anche i dati dell'ultima settimana confermano il tradizionale calo delle presenze con l'arrivo dell'estate, ma si tratta pur sempre di una media di oltre mille al giorno.

B Firenze: esplode la Cézanne-mania

Firenze - Il panino alla Cézanne adesso esiste. Si ispira alla mostra di Palazzo Strozzi e se l'idea è tutta di A. Frassica, dinamico gestore di un locale in via dei Georgofili, il risultato è frutto di un'autentica consultazione popolare, grazie alla magia del web e alla passione di molti per la buona tavola, che celebra così la bella cézannemania di questi giorni. "Se il cibo è cultura", spiega Frassica, "perfino un panino, nel suo piccolo, può aspirare a essere un'opera d'arte".

Anche al *Wine Bar Frescobaldi*, D. Magni ha arricchito il menù con un salmone alla Cézanne, privilegiando la dimensione del colore. Poteva mancare il Cocktail Cézanne? È alla frutta, coloratissimo e lo firma T. Zanobini. Nel ristorante *Convivium* di Borgo S. Spirito, il capo chef P. Biancalani ha consultato uno storico dell'arte per ricordare Cézanne con una serie di ricette mediterranee su misura (A tavola con l'Impressionismo). Nulla è lasciato al caso, neppure l'obbligo della prenotazione.

Adattati da *www.nove.firenze.it*

1. Anche un piatto può essere un'opera d'arte. A B
2. C'è bisogno della prenotazione obbligatoria. A B
3. In molti hanno contribuito alla realizzazione. A B
4. È bello guardare un'opera d'arte comodamente seduti. A B
5. In estate andremo a Napoli. A B
6. A tanti piacciono i colori di Cézanne. A B

B Leggi il testo e rispondi alla domanda.

È curioso: quando arriva una novità che riguarda i giovani nove volte su dieci viene presentata all'opinione pubblica in maniera frettolosa e poco chiara. E nove volte su dieci davanti a un argomento esposto in modo frettoloso e poco chiaro la stessa opinione pubblica si divide subito in due schiere: da una parte con un drastico sì al cambiamento, da un'altra parte con un ancora più drastico no. Così è avvenuto anche per la patente a sedici anni. Per qualche giorno si è discusso sui giornali e in televisione intorno a questa proposta, ed ecco subito schiere di genitori preoccupatissimi per l'eventualità di affidare a ragazzini irrequieti la guida di bolidi a quattro ruote.

Trovate giuste le osservazioni fatte dallo scrittore sui giovani e sull'opinione pubblica?
(Da un minimo di 15 ad un massimo di 25 parole)

....

....

....

....

C **Completa il testo. Inserisci la parola mancante negli spazi numerati. Usa una sola parola.**

Agostino orfano di padre, si trova in (1)............................ al mare con la madre ancora giovane e (2)............................, con la quale ha un rapporto di (3)............................ perfetto e senza ombre. Ad un certo (4)............................ si sente però rifiutato dalla (5)............................ corteggiata da un bagnante, e si allontana. Incontra un (6)............................ di ragazzi rozzi e violenti, figli di pescatori, dai quali Agostino si sente nello (7)............................ tempo attratto e respinto. Nel corso di pochi giorni Agostino esce dall'infanzia e attraverso le dure (8)............................ a cui lo sottopongono i nuovi (9)............................ acquista consapevolezza (10)............................ realtà di un mondo squallido e crudele.

Tratto da *Agostino* di Alberto Moravia

D **Collega le frasi con le opportune forme di collegamento. Se necessario, elimina o sostituisci alcune parole. Trasforma, dove necessario, i verbi nel modo e nel tempo opportuni.**

1. - sono andato a cenare in un ristorante
   - non andavo in questo ristorante da tempo
   - nel ristorante ho trovato alcuni amici
   - con questi amici ho passato una bellissima serata

   ....

   ....

2. - avevo un appuntamento con Roberto
   - Roberto non è venuto
   - Roberto mi ha telefonato e mi ha chiesto scusa

   ....

   ....

3. - penso di scrivere una lettera a Luisa
   - scrivere mi è difficile e ci vuole tempo
   - telefonerò a Luisa

....

....

4. - ho seguito un corso di Storia della musica

    - ho trovato molto interessante questo corso

    - la professoressa era veramente molto preparata

....

....

5   - Lucio ha comprato una nuova auto

    - Lucio preferisce guidare sempre la sua vecchia 500

    - la vecchia 500 di Lucio sta cadendo a pezzi

    - la vecchia 500 di Lucio può essere pericolosa

....

....

6. - devi seguire i consigli di tua madre

    - tua madre ti consiglia per il tuo bene

    - i consigli di tua madre, a volte, richiedono sacrifici

....

....

....

....

....

....

....

....

....

....

....

....

....

....

....

....

....

....

....

Istruzioni dei due giochi

Materiale necessario: il tabellone con 30 caselle, un dado e un segnaposto (per esempio, una moneta) per ogni giocatore.

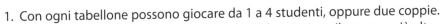

1. Con ogni tabellone possono giocare da 1 a 4 studenti, oppure due coppie.
2. Inizia per primo il giocatore che lancia il dado e ottiene il numero più alto.
3. Vince chi dalla *Partenza* arriva per primo alla casella 30.
4. A turno ogni giocatore lancia il dado e avanza di tante caselle quante indicate dal dado. Nella casella di arrivo, legge e svolge il compito riportato.
5. Se il giocatore svolge correttamente il compito, si ferma sulla casella o va a quella indicata. Se non riesce a rispondere ritorna alla casella precedente. In ogni caso, il turno passa all'altro giocatore.
6. Per vincere, bisogna raggiungere la casella 30 con un lancio esatto. Se il giocatore la supera, deve tornare indietro di tante caselle quanti sono i punti in più (per esempio, se sono alla casella 28 e il lancio del dado mi dà 6, arrivo alla casella 30 e poi torno indietro fino alla 26).

Gioco unità 1-5

Edizioni Edilingua

Hai un colloquio di lavoro: in 1 minuto al massimo devi convincere il direttore ad assumerti!

Sei il responsabile del personale: fai 5 domande a un candidato.

Il calcio con meno gioca[tori] si chiama...

Chi trova un amico... Finisci tu il proverbio!

Nomina almeno due modi per mantenersi giovani e in buona salute.

Fai una frase iniziando c[on] "*(non) credo che...*" e usa[re] almeno due verbi al congiuntivo.

Per diventare dottore bisogna studiare...

Un abitante di Bologna è un...

Vai a pagina 79 del Libro [dello] studente e racconta in bre[ve la] storia illustrata. Hai 1' di t[em]po! Se no, torni alla casell[a]

Un tuo compagno è arrivato al vostro appuntamento in ritardo e ti chiede scusa. Cosa rispondi?

Lessi, *risi* e *mossi* sono tre passati remoti. Ma qual è il loro infinito?

Parla della città dove vi[vi] dal punto di vista ecologi[co]. È inquinata? C'è molto ve[rde]? È pulita o sporca? Hai 30 secondi di temp[o]

Chi ti ha regalato questo bell'orologio?

PARTENZA

Hai 1-2 minuti per raccontare la favola di *Cappuccetto Rosso*.

Conosci questo personag[gio]? Chi è? Perché è importan[te] nella stor[ia] d'Italia?

Disponibile in versione interattiva
anche nel software per la LIM di
Nuovo Progetto italiano 2

Istruzioni a pagina 171

Fai una frase con il
pronome relativo *cui*.

In quale
città si trova
la famosa
Basilica di
San Marco?

Come inizieresti un'e-mail
formale? E come la chiuderesti?

Qual è il voto più alto che si può
avere ad un esame universitario
in Italia?

Fai almeno due
paragoni tra
Milano e Napoli
e la tua città.

...ue sport per cui l'Italia
è famosa.

ARRIVO

...a del caffè in Italia e nel
...paese: le abitudini sono
...mili? E i tipi di caffè?
...i 30 secondi di tempo.

Vuoi vendere il tuo
miniappartamento di 50 mq:
descrivilo a un amico.

Prenota una camera di albergo.
Un tuo compagno / l'insegnante
farà la parte del receptionist.

...amico è bravo nelle mate-
...cientifiche. Quali facoltà
...ersitarie gli consiglieresti?

Fai una frase sulla storia del tuo
Paese usando il passato remoto.

Comparativo e superlativo
di *buono* e *cattivo*.

...passato remoto di *dare*.

Sei stato in un albergo, ma non
sei soddisfatto. In un minuto,
spiega il perché.

Il nome di almeno due luoghi o di
due monumenti famosi a Roma.

Disponibile in versione interattiva
anche nel software per la LIM di
Nuovo Progetto italiano 2

PARTENZA

1. Completa la frase: "Tre problemi ecologici tipici di una grande città sono..."

2. Cosa non avresti mai creduto?

3. Potresti andare avanti 3 caselle, ma prima dev[i] il nome di una famosa o[pera] lirica italiana che rico[rdi]

12. Fai una frase con il verbo *installare* e una con il verbo *scaricare*.

11. Usa la forma di cortesia e dai ad uno sconosciuto delle indicazioni stradali.

10. Fai due frasi, una con *qualsiasi* e una con *chiunque*

13. In poche parole, parla di un libro che hai letto recentemente. Se non hai letto nessun libro, vai indietro di quattro caselle!

14. Formula una frase usando la forma passiva.

15. Un capolavoro di M[i]chelangelo e uno d[i] Leonardo. Se cono[sci] la risposta vai alla [ca]sella 17, altrimen[ti va] indietro di 3 case[lle]

24. Fai due frasi usando *ne* e *ci*.

23. Completa questo proverbio: *Le bugie hanno le gambe...*

22. Ti hanno rubato il porta[foglio] Vai in Questura e fai [la] denuncia (dove è succe[sso], cosa c'era dentro ecc.[)]

21. Qual è il tuo segno zodiacale? E quali sono le principali caratteristiche?

20. Fai una frase usando un verbo all'infinito come soggetto o come sostantivo. Usa il verbo *parlare*.

19. Il nome di un famoso s[crit]tore italiano? Hai 5 seco[ndi] per ricordarlo! Se non [ci] riesci, stai fermo un g[iro] per pensarci su.

Gioco unità 1·11

Ricordi due parole relative alla banca e ai suoi servizi?

Una persona chiede di entrare nel tuo ufficio: invitala a entrare e a sedersi usando la forma di cortesia.

Fai una frase con *magari* e una con *come se.*

In un minuto, parla del tuo rapporto con il computer e/o con il cellulare.

Convinci un compagno a fare insieme un viaggio di 4 giorni in Italia. Decidi tu quali città visiterete.

Due forme di energia alternativa.

Sei in fila per entrare alla Galleria degli Uffizi e un turista ti chiede se vale la pena di visitarla. Rispondi e spiega il perché.

Matteo: "Domani andrò dai miei genitori!" Riporta questa frase il giorno dopo ad un amico: *Matteo mi ha detto che...*

Come si chiama un quadro di questo genere?

Fai una frase con *sebbene* e una con *purché.*

Ricordi il nome di un grande compositore italiano di opera?

Il nome di un artista italiano contemporaneo. Se non lo sai, vai indietro di due caselle. Se lo sai, avanzi di una.

ARRIVO

Un libro brutto e vecchio è un...

Fai una frase con un periodo ipotetico del terzo tipo (irrealtà).

Parla per almeno 30" di un personaggio italiano famoso che abbiamo incontrato in *Nuovo Progetto italiano* 2. Se non ci riesci torna alla casella 24!

Unità 1

I pronomi combinati

All'interno di una frase, i pronomi personali che sostituiscono un oggetto, quindi in funzione di complemento oggetto, possono essere diretti e indiretti, di forma tonica e di forma atona (*Questo libro lo leggerei volentieri. A te piace?*).

	Forme toniche		Forme atone	
soggetto	pronome diretto	pronome indiretto	pronome diretto	pronome indiretto
io	me	a me	mi	mi
tu	te	a te	ti	ti
lui	lui	a lui	lo	gli
lei	lei	a lei	la	le
Lei	Lei	a Lei	La	Le
noi	noi	a noi	ci	ci
voi	voi	a voi	vi	vi
loro	loro	a loro	li	gli
			le	

Abbiamo i pronomi combinati quando i pronomi indiretti atoni (*mi, ti, gli, le, Le, ci, vi, gli*), il pronome riflessivo *si*, la particella *ci* sono seguiti da un altro pronome diretto atono (*lo, la, li, le*) o dalla particella *ne*.
Il pronome indiretto, il pronome riflessivo *si* e la particella *ci* precedono sempre il pronome diretto o il *ne*.

Nei pronomi combinati:

- i pronomi indiretti *mi, ti, ci, vi* diventano rispettivamente me, te, ce, ve (*Il cellulare me lo regala mia madre*).
- i pronomi indiretti alla terza persona singolare (*gli, le, Le*) e plurale (*gli*) diventano gli, aggiungono una -e- e formano con i pronomi diretti e il *ne* una sola parola: glielo, gliela, gliel', glieli, gliele, gliene (*-Quanti esami ha ancora tuo fratello per laurearsi? -Gliene rimangono tre*).

	+ lo	+ la	+ l'	+ li	+ le	+ ne
mi	me lo	me la	me l'	me li	me le	me ne
ti	te lo	te la	te l'	te li	te le	te ne
gli/le/Le	glielo	gliela	gliel'	glieli	gliele	gliene
ci	ce lo	ce la	ce l'	ce li	ce le	ce ne
vi	ve lo	ve la	ve l'	ve li	ve le	ve ne
gli	glielo	gliela	gliel'	glieli	gliele	gliene
si	se lo	se la	se l'	se li	se le	se ne
ci	ce lo	ce la	ce l'	ce li	ce le	ce ne

I pronomi combinati:

- in genere, precedono il verbo (*-Porti tu i libri a Paolo? -Sì, glieli porto io*).
- seguono il verbo quando abbiamo un verbo al gerundio, al participio passato o all'infinito, che perde la -e finale (*Che belle biciclette, ho intenzione di comprarmene una*) o all'imperativo (*Lucia non puoi prendere sempre il mio computer, compratelo!*), ma non alla terza persona singolare e plurale (*Glielo dica lei, io non ne ho il coraggio*). Quando si ha l'imperativo alla forma negativa, i pronomi possono anche precedere il verbo (*Non comprartelo! / Non te lo comprare!*). Con le forme tronche dell'imperativo dei verbi *dare, dire, fare, stare* e *andare* (*da', di', fa', sta', va'*), i pronomi atoni raddoppiano la consonante iniziale (*Dimmelo subito! / Fattelo da solo!*); non succede con il pronome *gli* e i suoi derivati (*Digli che arriviamo domani!*).
- con i verbi *potere, dovere, volere* e *sapere*, seguiti da un infinito, i pronomi combinati possono o precedere il verbo (*Glielo devo dire*) oppure seguirlo, in questo caso formano con l'infinito una sola parola (*Devo dirglielo*).

I pronomi combinati nei tempi composti

Quando usiamo i pronomi combinati con i tempi composti, il participio passato concorda:

- in genere e numero con i pronomi diretti *lo, la, li, le* (*Ti piacciono i miei pantaloni nuovi? Me li ha regalati Gabriella*).
- quando c'è *ne*, con il complemento oggetto, per genere con il nome e per numero con la quantità indicata (*-Quante email ti ha spedito Giorgio? -Me ne ha spedite tante*).

I pronomi *glielo* e *gliela* prendono l'apostrofo prima del verbo *avere* (*ho, hai, ha, abbiamo, avete, hanno*) e, di solito, prima di un verbo che inizia per vocale (*Ho dato la mia chitarra a Dario perché gliel'avevo promessa*).

Aggettivi e pronomi interrogativi

- **chi?**
  È invariabile, lo usiamo in riferimento a persone e ha solo funzione di pronome (*Chi è al telefono?*).
- **che? / che cosa? / cosa?**
  È invariabile, lo usiamo in riferimento a cose, può essere aggettivo e pronome e possiamo trovarlo nelle interrogative dirette e nelle interrogative indirette, cioè proposizioni introdotte da un verbo e senza il punto interrogativo (*Che giorno è oggi? / Che fai stasera, usciamo? / Ti chiedo che fai stasera*).
  Come pronome può essere sostituito da *che cosa?* e *cosa?* (*Che cosa/Cosa fai stasera, usciamo? / Ti chiedo che cosa/cosa fai stasera*).
- **quale/i?**
  È variabile nel numero ma non nel genere. Può essere aggettivo e pronome e possiamo trovarlo nelle interrogative dirette e nelle interrogative indirette (*Non so quale libro scegliere / Quali libri vuoi? / Quale di questi libri sceglieresti?*).
- **quanto/a/i/e?**
  È variabile nel genere e nel numero. Può essere aggettivo e pronome e possiamo trovarlo nelle interrogative dirette e nelle interrogative indirette (*Mi chiedo quante città tu abbia visitato / Quanti soldi hai speso? / Non voglio neppure pensare quanto ci costerebbe cambiare casa*).

Avverbi interrogativi

Tra gli avverbi interrogativi ricordiamo:

- **come?** (*Come stanno i tuoi genitori, Tania? / Com'è riuscito Giorgio a prendere 30 all'esame?*).
- **dove?** (*Dove sono i miei appunti? / Di dov'è Luca? / Dov'ero? Qui in biblioteca che studiavo*).
- **quando?** (*Quando venite da me a cena, ragazzi?*).
- **quanto?** (*Quanto ti è costato il viaggio in Canada?*).
- **perché? / come mai?** (*Perché non mi hai detto che volevi andare al cinema? / Come mai leggi questo libro, da quando ti piace Umberto Eco?*).

In quanto avverbi sono invariabili e introducono una domanda diretta.

quando? e perché? possono essere rafforzati con mai per dare alla frase un significato polemico o enfatico (*Quando mai abbiamo visto programmi di sport in questa casa? / Perché mai avrebbe dovuto dirci bugie?*).

Locuzioni avverbiali: Da dove?, Da quando?

Unità 2

I pronomi relativi

I pronomi relativi, che possono riferirsi sia a persone che a cose, sono:

- **che**
  È invariabile, non è mai preceduto da una preposizione e nella frase relativa secondaria può sostituire il soggetto (*Giovanni, che mi ha prestato gli appunti per l'esame, è un mio amico di università*) o il complemento oggetto (*Il film, che abbiamo visto ieri sera, mi è piaciuto molto*).
- **quale**
  È variabile nel genere (il quale / la quale) e nel numero (i quali / le quali) e concorda con il nome a cui si riferisce (*Ecco un bancomat dal quale prelevare un po' di soldi*).
  Possiamo usarlo al posto di che, in contesti più formali, soltanto quando quest'ultimo sostituisce il soggetto (*Giovanni, il quale [che] mi ha prestato gli appunti per l'esame, è un mio amico di università*), e per eliminare qualsiasi ambiguità (*Ho incontrato la ragazza di Michele che lavora in banca* [Chi lavora in banca? Michele o la sua ragazza? Se usiamo il pronome relativo il/la quale, riusciamo ad essere più chiari] *Ho incontrato la ragazza di Michele, la quale lavora in banca* [la ragazza lavora in banca] / *Ho incontrato la ragazza di Michele, il quale lavora in banca* [lo stesso Michele lavora in banca]).
  Possiamo anche usarlo al posto di cui (*Il libro del quale [di cui] mi parli l'ho letto due volte / Il motivo per il quale [per cui] non vengo, lo conosci benissimo*).
- **cui**
  È invariabile ed è sempre preceduto da una preposizione semplice (*È questo il libro di cui ti parlavo ieri / La sedia su cui sei seduto non è molto sicura*).
  Quando è preceduto dalla preposizione a, possiamo anche non metterla (*La professoressa (a) cui abbiamo fatto il regalo, insegna matematica*).
  A volte cui può essere preceduto dall'articolo determinativo (il, la, i, le), articolo che concorda in genere e numero con il sostantivo che segue. Si usa in ambito letterario ed esprime possesso, ha il significato del pronome relativo del quale (*Gianni Rodari, le cui favole [le favole del quale, di Rodari] sono state tradotte in tutto il mondo, muore nel 1980*).
  L'avverbio **dove** ha valore di pronome relativo quando collega due proposizioni (*Andiamo in un ristorante dove [in cui/nel quale] preparano dei piatti molto buoni*).

I pronomi doppi

Tra i pronomi relativi dobbiamo ricordare anche altri pronomi, detti pronomi doppi (dimostrativi-relativi e indefiniti-relativi):

- **chi**

È invariabile, lo usiamo in riferimento soltanto a persone e sostituisce quello che (*colui che*) / quella che (*colei che*) / la persona che (*Conosco chi [la persona che] può aiutarci a trovare una soluzione al nostro problema*).

- **quanto**

È invariabile, lo usiamo in riferimento soltanto a cose e sostituisce (tutto) quello che / ciò che (*Ti ringrazio per quanto [tutto quello che] hai fatto per me. / Non credo che possiamo comprare un nuovo appartamento, non possò pagare quanto [ciò che] ci hanno chiesto*).

- **quanti / quante**

Li usiamo in riferimento soltanto a persone e sostituiscono (tutti) quelli che / (tutte) quelle che / coloro che (*Quanti [Tutti quelli che / Coloro che] desiderano maggiori informazioni possono visitare il nostro sito*).

Nello stesso significato di quanti/e possiamo usare **chiunque** con il verbo però al singolare (*Chiunque [Tutti quelli che / Tutti coloro che / Qualunque persona che] desideri maggiori informazioni può visitare il nostro sito*).

Il pronome relativo che, preceduto dall'articolo determinativo il (**il che**), lo usiamo per sostituire un'intera frase e ha il significato di ciò, cosa che (*Sono due giorni che il mio gatto non mangia, il che mi preoccupa*). Oltre che dall'articolo determinativo, può essere preceduto da una preposizione articolata (*Ho vinto il concorso e ho avuto il lavoro, del che sono molto soddisfatto*).

Costruzioni *stare* + gerundio e *stare per* + infinito

Si tratta di costruzioni perifrastiche, le usiamo per esprimere un aspetto specifico dell'azione e solo quando abbiamo un tempo semplice (presente, imperfetto ecc.).

- **stare + gerundio**

Esprime l'aspetto progressivo di un'azione, indica un'azione in corso. Si forma con *stare* al tempo desiderato + gerundio presente* (*-Cosa fai Luigi? -Sto scrivendo il mio curriculum perché voglio cambiare lavoro*).

> *• verbi in *-are* → *-ando*: *lavorare* → *lavorando*
> • verbi in *-ere* → *-endo*: *leggere* → *leggendo*
> • verbi in *-ire* → *-endo*: *uscire* → *uscendo*
> • verbi irregolari: *bere* → *bevendo*; *dire* → *dicendo*; *fare* → *facendo*

- **stare per + infinito**

Esprime un'azione che inzierà in un futuro immediato, un'azione che sta per accadere (*Il treno sta per partire, corriamo se non vogliamo perderlo*).

Unità 3

I verbi farcela e andarsene

Farcela e *andarsene* sono due verbi pronominali.

- Farcela ha il significato di riuscire a fare qualcosa, essere in grado di fare qualcosa (*Ho tanto da lavorare, ma spero di farcela a venire alla tua festa domani sera*).
- Andarsene ha il significato di allontanarsi da un luogo, lasciare un luogo per andare in un altro (*Ragazzi, perché ve ne andate?*) oppure in senso metaforico, figurativo, ha il significato di morire (*Mio nonno se n'è andato a novant'anni*).

	FARCELA	**ANDARSENE**
io	**ce la** faccio	**me ne** vado
tu	**ce la** fai	**te ne** vai
lui, lei, Lei	**ce la** fa	**se ne** va
noi	**ce la** facciamo	**ce ne** andiamo
voi	**ce la** fate	**ve ne** andate
loro	**ce la** fanno	**se ne** vanno

Comparazione tra due nomi o pronomi

Per fare un confronto fra due nomi o pronomi usiamo il:

- **comparativo di maggioranza**

Mettiamo più prima dell'aggettivo o dopo il verbo e di davanti al secondo nome o pronome (*Giorgio è più studioso di Mario / Giorgio studia più di me*).

- **comparativo di minoranza**

Mettiamo meno prima dell'aggettivo o dopo il verbo e di davanti al secondo nome o pronome (*Maria è meno simpatica di Anna / Mario studia meno di Giorgio*).

- **comparativo di uguaglianza**

Mettiamo tanto/così (ma si possono anche non mettere) prima dell'aggettivo e quanto/come davanti al secondo nome o pronome (*Giorgio è (tanto) studioso quanto me / Maria è (così) bella come Anna*). Oppure mettiamo tanto (ma si può anche non mettere) dopo il verbo e quanto davanti al secondo nome o pronome (*Giorgio studia (tanto) quanto me*).

Comparazione tra due aggettivi, verbi o quantità

Per fare un confronto fra due aggettivi, verbi o quantità usiamo che e NON di*:

- se il confronto è tra due aggettivi che si riferiscono alla stessa persona o cosa (*Maria più che bella è simpatica / Maria è più/meno simpatica che bella*).
- se il confronto è tra due verbi all'infinito (*È più facile spendere che guadagnare*).
- se il confronto è tra due nomi (*Nella mia classe ci sono meno ragazze che ragazzi*).
- quando il primo e il secondo nome o pronome sono preceduti da una preposizione (*In inverno sono più triste che in estate / Sul tuo conto corrente ci sono più soldi che sul mio!*).

* Questo riguarda solo il comparativo di maggioranza e di minoranza; quello di uguaglianza rimane invariato: *Maria è tanto simpatica quanto bella / Nella mia classe ci sono tante ragazze quanti ragazzi / È utile tanto imparare l'italiano quanto imparare il tedesco.*

Superlativo relativo

Usiamo il superlativo relativo per indicare una qualità al suo massimo o minimo grado in rapporto a un gruppo di persone o cose:

- **il/la/i/le + più/meno + aggettivo**

Il nome o pronome che rappresenta il gruppo (quando è espresso) è sempre preceduto da di o tra (*Roma è la città più grande d'Italia / Giorgio è il meno simpatico tra loro / Il mio cane è il più bello*).

- **articolo determinativo + nome + più/meno + aggettivo**

Il nome o pronome che rappresenta il gruppo (quando è espresso) è sempre preceduto da di o tra: *È l'uomo più ricco del paese / Hanno comprato la macchina meno costosa tra quelle in vendita / Louvre è il museo più visitato*).

Superlativo assoluto

Usiamo il superlativo assoluto per indicare una qualità al suo massimo grado. Di solito, si forma sostituendo la desinenza dell'aggettivo con il suffisso **-issimo/a/i/e** (*Stefania è gentilissima / Questo film è noiosissimo*).

Nella lingua italiana, però, ci sono altri modi per formare il superlativo assoluto:

- l'aggettivo è preceduto dagli avverbi molto, assai, tanto, parecchio, particolarmente ecc. (*Si tratta di una persona molto intelligente / Queste scarpe sono tanto costose che non posso comprarle*);
- l'aggettivo si ripete due volte (*Silvio camminava piano piano*);
- l'aggettivo è preceduto da un prefisso come arci-, ultra-, iper-, stra-, extra-, super- (*Sono arcistufo di questa situazione*);
- l'aggettivo è preceduto da un altro aggettivo che lo rafforza (*Andrea è innamorato cotto / Sono stanco morto*).

Forme particolari di comparativo e di superlativo

Alcuni **aggettivi**, oltre alle forme regolari di comparativo e di superlativo, presentano una forma irregolare che è molto usata:

Aggettivo	Comparativo di maggioranza		Superlativo assoluto	
buono	più buono	migliore	buonissimo	ottimo
cattivo	più cattivo	peggiore	cattivissimo	pessimo
grande	più grande	maggiore	grandissimo	massimo
piccolo	più piccolo	minore	piccolissimo	minimo

Ricordiamo anche alcuni comparativi, sempre di derivazione latina, a cui non corrisponde in realtà nessun aggettivo: anteriore (che sta davanti), posteriore (che sta dopo), superiore (che sta più in alto; superlativo: *supremo, sommo*) inferiore (che sta più in basso; superlativo: *infimo*). In genere, sono seguiti dalla preposizione a e NON di (*Verga è uno scrittore posteriore a Leopardi / L'appartamento del piano superiore è abitato dai miei zii / Non vorrei guadagnare uno stipendio inferiore ai mille euro*)

In realtà si tratta di comparativi che, a volte, hanno assunto con il tempo altri significati: ad esempio, superiore può significare *migliore* (*Si tratta di una stoffa superiore alle altre*) e inferiore può significare *meno buono*.

Anche gli **avverbi** (non tutti) possono avere il comparativo e il superlativo:

- comparativo di maggioranza / di minoranza

Come negli aggettivi, si forma con più/meno: *più vicino, meno spesso* ecc.

- superlativo assoluto

Si forma aggiungendo -issimo agli avverbi semplici: *prestissimo, lontanissimo* ecc.

Vediamo ora il comparativo e il superlativo degli avverbi molto, poco, bene, male:

Avverbi	Comparativo di maggioranza	Superlativo assoluto
molto	più	moltissimo
poco	meno	pochissimo
bene	meglio	benissimo
male	peggio	malissimo

Unità 4

Passato remoto

È un tempo verbale che indica un'azione lontana, che non ha conseguenze sul presente mentre si parla o si scrive (*Roma divenne capitale d'Italia nel 1871*).

	1ª coniugazione (-are)	2ª coniugazione (-ere)	3ª coniugazione (-ire)
	AND**ARE**	CRED**ERE**	CAP**IRE**
io	and**ai**	cred**ei** (cred**etti**)	cap**ii**
tu	and**asti**	cred**esti**	cap**isti**
lui, lei, Lei	and**ò**	cred**è** (cred**ette**)	cap**ì**
noi	and**ammo**	cred**emmo**	cap**immo**
voi	and**aste**	cred**este**	cap**iste**
loro	and**arono**	cred**erono** (cred**ettero**)	cap**irono**

Il passsato remoto è usato spesso nella lingua scritta, soprattutto nelle biografie, nelle favole, nei fumetti e nei racconti storici e letterari (*Luciano Pavarotti nacque a Modena il 12 ottobre del 1935 / Allora, entrò in bottega un vecchietto, il quale aveva nome Geppetto*).

Nella lingua parlata, è usato nell'Italia del Sud e parte del Centro Italia, ma in realtà viene sostituito sempre più dall'uso del passato prossimo. A volte, usiamo il passato remoto per esprimere un'azione passata, anche recente, ma dalla quale abbiamo e vogliamo prendere una certa distanza, non solo nel tempo, ma anche psicologica ed emotiva (*Sabato scorso non andai a cena da Roberto perché non mi è molto simpatico / Sabato scorso non sono andata a cena da Roberto perché ho finito di lavorare molto tardi*).

Verbi irregolari al passato remoto

accorgersi: *mi accorsi, ti accorgesti, si accorse, ci accorgemmo, vi accorgeste, si accorsero*
assumere: *assunsi, assumesti, assunse, assumemmo, assumeste, assunsero*
avere: *ebbi, avesti, ebbe, avemmo, aveste, ebbero*
bere: *bevvi, bevesti, bevve, bevemmo, beveste, bevvero*
cadere: *caddi, cadesti, cadde, cademmo, cadeste, caddero*
chiedere: *chiesi, chiedesti, chiese, chiedemmo, chiedeste, chiesero* / chiudere: *chiusi, chiudesti, ...* / decidere: *decisi, decidesti, ...* / escludere: *esclusi, escludesti, ...* / perdere: *persi (perdetti), perdesti, ...* / ridere: *risi, ridesti, ...* / succedere: *successi (succedetti), succedesti, ...*
cogliere: *colsi, cogliesti, colse, cogliemmo, coglieste, colsero* / scegliere: *scelsi, scegliesti, ...* / togliere: *tolsi, togliesti, ...*
condurre: *condussi, conducesti, condusse, conducemmo, conduceste, condussero*
conoscere: *conobbi, conoscesti, conobbe, conoscemmo, conosceste, conobbero*
convincere: *convinsi, convincesti, convinse, convincemmo, convinceste, convinsero* / vincere: *vinsi, vincesti, ...*
correre: *corsi, corresti, corse, corremmo, correste, corsero*
dare: *diedi (detti), desti, diede (dette), demmo, deste, diedero (dettero)*
difendere: *difesi, difendesti, difese, difendemmo, difendeste, difesero* / nascondere: *nascosi, nascondesti, ...* / prendere: *presi, prendesti, ...* / rendere: *resi, rendesti, ...* / rispondere: *risposi, rispondesti, ...* / scendere: *scesi, scendesti, ...* / spendere: *spesi, spendesti, ...*
dirigere: *diressi, dirigesti, diresse, dirigemmo, dirigeste, diressero*
dire: *dissi, dicesti, disse, dicemmo, diceste, dissero*
discutere: *discussi, discutesti, discusse, discutemmo, discuteste, discussero*
distruggere: *distrussi, distruggesti, distrusse, distruggemmo, distruggeste, distrussero* / leggere: *lessi, leggesti, ...* / proteggere: *protessi, proteggesti, ...*
esprimere: *espressi, esprimesti, espresse, esprimemmo, esprimeste, espressero*
essere: *fui, fosti, fu, fummo, foste, furono*
fare: *feci, facesti, fece, facemmo, faceste, fecero*
giungere: *giunsi, giungesti, giunse, giungemmo, giungeste, giunsero* / piangere: *piansi, piangesti, ...*
mettere: *misi, mettesti, mise, mettemmo, metteste, misero*
muovere: *mossi, muovesti (movesti), mosse, muovemmo (movemmo), muoveste (moveste), mossero*
nascere: *nacqui, nascesti, nacque, nascemmo, nasceste, nacquero* / piacere: *piacqui, piacesti, ...* / tacere: *tacqui, tacesti, ...*
porre: *posi, ponesti, pose, ponemmo, poneste, posero*
rimanere: *rimasi, rimanesti, rimase, rimanemmo, rimaneste, rimasero*
risolvere: *risolsi, risolvesti, risolse, risolvemmo, risolveste, risolsero*
rompere: *ruppi, rompesti, ruppe, rompemmo, rompeste, ruppero*
sapere: *seppi, sapesti, seppe, sapemmo, sapeste, seppero*
scrivere: *scrissi, scrivesti, scrisse, scrivemmo, scriveste, scrissero*
stare: *stetti, stesti, stette, stemmo, steste, stettero*
tenere: *tenni, tenesti, tenne, tenemmo, teneste, tennero*
trarre: *trassi, traesti, trasse, traemmo, traeste, trassero*
vedere: *vidi, vedesti, vide, vedemmo, vedeste, videro*
venire: *venni, venisti, venne, venimmo, veniste, vennero*
vivere: *vissi, vivesti, visse, vivemmo, viveste, vissero*
volere: *volli, volesti, volle, volemmo, voleste, vollero*

Numeri romani

Nei numeri romani abbiamo sette caratteri che sono ripetuti e combinati tra loro in vari modi:

$$I = 1 \quad V = 5 \quad X = 10 \quad L = 50 \quad C = 100 \quad D = 500 \quad M = 1000$$

I numeri romani non hanno lo zero (0), non possono rappresentare quantità negative (-12) e neppure decimali (1,5). Si tratta di un sistema a legge additiva (*CD [400]+XL [40]+IV [4]=444*) e i numeri sono posti sempre da sinistra verso destra in ordine decrescente:

- soltanto i simboli I, X, C si possono sottrarre (*CDXLIV = 444*);
- i simboli I, X, C, M possono essere ripetuti al massimo tre volte (*XXX = 30*);
- i simboli V, L, D non si ripetono mai (*XLIX = 49*).

In base a queste regole il numero più alto che si può scrivere con i numeri romani è MMMCMXCIX (*3.999*). Per questo i romani usavano delle linee per indicare che il numero veniva moltiplicato per 1.000 ($\overline{CCL}$) o per 100.000 ($\overline{|CCL|}$).

Se i numeri arabi (1, 2, 3 ecc.) li usiamo per la numerazione cardinale (uno, due, tre ecc.), i numeri romani li usiamo spesso nella numerazione ordinale (primo, secondo, terzo ecc.).

In genere, usiamo i numeri romani:

- per indicare i secoli (*Anche se siamo nel XXI secolo, ci sono ancora molte ingiustizie nel mondo*).
- per indicare sovrani, papi ecc. (*Vittorio Emanuele II fu il primo re d'Italia / Papa Benedetto XVI era tedesco*).
- per indicare le classi scolastiche (*Ivana frequenta la III media*).
- per indicare i capitoli dei libri o le scene di un'opera teatrale (*Il XXXVIII capitolo chiude I Promessi sposi di Alessandro Manzoni / La scena I dell'atto IV dell'*Aida *si svolge in una sala del palazzo del re*).
- per dare indicazioni bibliografiche: i singoli volumi, le annate delle riviste ecc.
- per indicare i paragrafi di una legge.

Trapassato remoto

Il trapassato remoto, formato dal passato remoto dell'ausiliare essere o avere + participio passato, non si usa di frequente in quanto indica un evento concluso prima di un altro sempre espresso dal passato remoto. È sempre introdotto dalle congiunzioni temporali: quando, dopo che, appena, non appena (*Dopo che furono partiti, ci accorgemmo che avevano dimenticato una valigia / Non appena l'esercito ebbe lasciato il paese, tutti cominciarono a festeggiare*).

Gli avverbi di modo

Gli avverbi di modo indicano il modo in cui avviene l'azione espressa dal verbo oppure aggiungono un elemento qualificativo alla parola cui si riferiscono. Rispondono alla domanda *come? in che modo?*

Formiamo gli avverbi di modo

- aggiungendo il suffisso -mente agli aggettivi femminili singolare che terminano in -a (*libera - liberamente / lenta - lentamente*) o che terminano in -e (*veloce - velocemente / intelligente - intelligentemente*). Naturalmente ci sono delle eccezioni (*leggera - leggermente / violenta - violentemente*). Se l'aggettivo termina in -le o in -re, la -e viene eliminata (*facile - facilmente / particolare - particolarmente / terribile - terribilmente*).
- con il maschile singolare dell'aggettivo qualificativo (*Parla chiaro! / Vieni presto! / Vada dritto! / Faccia piano!*).
- con alcuni avverbi di origine latina (*Fabio si è comportato bene, ma suo fratello si è comportato male / Abiterei volentieri in questa ciittà / Non andiamo insieme in vacanza perché io non posso prendere le ferie ecc.*).
- con varie locuzioni avverbiali, cioè gruppi di parole che hanno una funzione avverbiale (*Alberto lo ha detto per scherzo, non voleva offenderti / Per fortuna abbiamo trovato la strada e non ci siamo persi / Vai di corsa dalla mamma! / Abbiamo avuto dei problemi e non siamo andati a Praga, ma il mese prossimo ci andremo di sicuro ecc.*).

Unità 5

Congiuntivo presente

	1ª coniugazione (-are)	2ª coniugazione (-ere)	3ª coniugazione (-ire)	
	PARL**ARE**	PREND**ERE**	PART**IRE***	FIN**IRE****
io	parli	prenda	parta	fin**isc**a
tu	parli	prenda	parta	fin**isc**a
lui, lei, Lei	parli	prenda	parta	fin**isc**a
noi	parliamo	prendiamo	partiamo	finiamo
voi	parliate	prendiate	partiate	finiate
loro	parlino	prendano	partano	fin**isc**ano

Come possiamo osservare, le prime tre persone (*io, tu, lui/lei/Lei*) sono uguali, quindi è meglio usare i pronomi personali soggetto (*È meglio che tu prenda l'autobus A11 per il centro*). Inoltre, la coniugazione dei verbi in -*ere* è uguale alla coniugazione dei verbi in -*ire*.

Particolarità dei verbi della 1ª coniugazione

- I verbi che finiscono in -care e -gare prendono una -h- tra la radice del verbo e le desinenze (cercare = *cerchi, cerchi, cerchi, cerchiamo, cerchiate, cerchino* / spiegare = *spieghi, spieghi, spieghi, spieghiamo, spieghiate, spieghino*).
- I verbi che finiscono in -ciare e -giare non raddoppiano la -i- (cominciare > *cominci* (e NON *comincii*), ecc. / mangiare > *mangi* (e NON *mangii*), ecc.).

Congiuntivo presente di essere e avere

	ESSERE	AVERE
io	sia	abbia
tu	sia	abbia
lui, lei, Lei	sia	abbia
noi	siamo	abbiamo
voi	siate	abbiate
loro	siano	abbiano

Congiuntivo passato

Il congiuntivo passato è formato dall'ausiliare essere o avere al congiuntivo presente + il participio passato del verbo:

	avere + participio passato	*essere + participio passato*
io	abbia parlato	sia andato/a
tu	abbia parlato	sia andato/a
lui, lei, Lei	abbia parlato	sia andato/a
noi	abbiamo parlato	siamo andati/e
voi	abbiate parlato	siate andati/e
loro	abbiano parlato	siano andati/e

Il congiuntivo passato esprime anteriorità temporale rispetto al momento presente indicato nella frase principale (*È facile che Luca e Giovanni non siano venuti perché dormono ancora / Penso che Rita abbia fatto bene ad accettare l'offerta di lavoro*).

Verbi irregolari al congiuntivo presente

Infinito	Congiuntivo presente			
andare	*vada*	*andiamo*	*andiate*	*vadano*
bere	*beva*	*beviamo*	*beviate*	*bevano*
dare	*dia*	*diamo*	*diate*	*diano*
dire	*dica*	*diciamo*	*diciate*	*dicano*
dovere	*debba*	*dobbiamo*	*dobbiate*	*debbano*
fare	*faccia*	*facciamo*	*facciate*	*facciano*
morire	*muoia*	*moriamo*	*moriate*	*muoiano*
piacere	*piaccia*	*piacciamo*	*piacciate*	*piacciano*
porre	*ponga*	*poniamo*	*poniate*	*pongano*
potere	*possa*	*possiamo*	*possiate*	*possano*
rimanere	*rimanga*	*rimaniamo*	*rimaniate*	*rimangano*
salire	*salga*	*saliamo*	*saliate*	*salgano*
sapere	*sappia*	*sappiamo*	*sappiate*	*sappiano*
scegliere	*scelga*	*scegliamo*	*scegliate*	*scelgano*
sedere	*sieda*	*sediamo*	*sediate*	*siedano*
stare	*stia*	*stiamo*	*stiate*	*stiano*
tenere	*tenga*	*teniamo*	*teniate*	*tengano*
togliere	*tolga*	*togliamo*	*togliate*	*tolgano*
tradurre	*traduca*	*traduciamo*	*traduciate*	*traducano*
udire	*oda*	*udiamo*	*udiate*	*odano*
uscire	*esca*	*usciamo*	*usciate*	*escano*
venire	*venga*	*veniamo*	*veniate*	*vengano*
volere	*voglia*	*vogliamo*	*vogliate*	*vogliano*

Uso del congiuntivo presente/passato

Il congiuntivo è il modo con il quale il parlante esprime un dubbio, un'incertezza, un'opinione soggettiva. Al contrario dell'indicativo che rappresenta il modo della realtà e della certezza.

Il congiuntivo presente (e passato) lo usiamo soprattutto nelle **frasi secondarie**, dipendenti da una principale (cioè due proposizioni con due soggetti diversi), quando:

● il verbo della proposizione principale esprime un'opinione soggettiva, che può essere una supposizione, un'incertezza ecc.: credere, dubitare, giudicare, immaginare, negare, pensare, prevedere, ritenere, sembrare, supporre ecc. (*Credo/Immagino/Penso/Ritengo che Antonio non sia voluto venire perché non gli piace la mia compagnia / Mi sembra che Sandra parta con il treno delle otto / Dubito che tu riesca a finire questo lavoro prima di sera*).

   Nella proposizione principale possiamo trovare anche un'espressione: avere l'impressione che, avere il dubbio che, avere il sospetto che, l'opinione è che, l'ipotesi è che ecc. (*Ho l'impressione che tu non mi stia dicendo la verità / L'opinione di tutti è che Stefano abbia sbagliato a comportarsi in quel modo*).

● il verbo della proposizione principale esprime un atto di volontà, che può essere una preghiera, un ordine, una richiesta ecc.: chiedere, decidere, domandare, fare, impedire, lasciare, ordinare, pregare, preoccuparsi, proporre, suggerire ecc. (*Luisa chiede al professore che le spieghi di nuovo il congiuntivo / Farò di tutto affinché possa venire anche Sandra in vacanza con noi / Lascia che sia lui a decidere cosa fare*).

   Nella proposizione principale possiamo trovare anche un'espressione: avere bisogno che, c'è bisogno che, il consiglio è che, il desiderio è che, la regola è che, lo scopo è che ecc. (*C'è bisogno che resti qualcuno qui con Filippo / Il mio unico desiderio è che tu venga a vivere da me / Lo scopo del viaggio è che i ragazzi conoscano nuove culture*).

● il verbo della proposizione principale esprime uno stato d'animo, che può essere un desiderio, una speranza, un augurio, un dispiacere, una paura ecc.: aspettare, augurare, augurarsi, desiderare, dispiacere, dispiacersi, preferire, sperare, temere, volere ecc. (*Aspettiamo che finisca lo spettacolo per andare via / Mi auguro che tu ci sia domani / Temo che Carla abbia perso il treno / Non voglio che tu dica bugie*).

   Nella proposizione principale possiamo trovare anche un'espressione: avere voglia che, avere il desiderio che, avere paura che, fare finta che, avere speranza che, c'è speranza che ecc. (*Non ho nessuna voglia che tu venga con noi / Abbiamo paura che il regalo non gli sia piaciuto / Fai finta che lui non ci sia e divertiti!*).

● abbiamo un verbo impersonale nella proposizione principale: bisogna/occorre che, può darsi che, si dice che, dicono che, pare/sembra che (*Si dice che per mantenersi in forma sia meglio seguire un'alimentazione equilibrata*).

● abbiamo un'espressione impersonale (verbo *essere* + aggettivo + che) nella proposizione principale: è necessario/importante che, è opportuno/giusto che, è meglio che, è normale/naturale/logico che, è strano/incredibile che, è possibile/impossibile che, è probabile/improbabile che, è facile/difficile che, è preferibile che (*È normale che Paola non ti voglia più vedere, questa volta hai proprio esagerato*). Ma anche è un peccato che, è ora che, è bene che (*È un peccato che non siate venuti alla festa di Marco, ci siamo divertiti tanto*).

● il verbo al congiuntivo si lega alla frase principale perché preceduto da una congiunzione o locuzione subordinata: benché, sebbene, nonostante, malgrado (*Questo tempo è proprio strano: malgrado ci sia il sole, continua a piovere / Nonostante/Sebbene abbia detto la verità, non mi ha creduto nessuno*); purché, a patto che, a condizione che, basta che (*Ti presto questi soldi a patto che/a condizione che/purché tu me li restituisca alla fine del mese*); senza che, (*È stato arrestato dalla polizia senza che abbia fatto nulla*); nel caso (in cui) (*Nel caso in cui abbiate già pagato il prodotto, ignorate questa email*); affinché, perché (*Ho regalato a Francesca una bicicletta affinché/perché faccia un po' di movimento*); prima che (*Andiamo via prima che finisca il film*); a meno che, fuorché, tranne che, salvo che (*Posso credere a tutto, fuorché/salvo che/tranne che tu abbia trovato lavoro*).

● la proposizione subordinata è una relativa e il verbo al congiuntivo è preceduto da un superlativo relativo (*È la persona più sincera che io abbia conosciuto*).

● la proposizione subordinata è una relativa che esprime uno scopo (*Il direttore cerca una segretaria che conosca bene tre lingue*), una conseguenza (*Questo non è un film che tu possa vedere*).

● la subordinata si lega alla frase principale grazie a un aggettivo o un pronome indefinito: chiunque, qualsiasi, qualunque, (d)ovunque, comunque, l'unico/il solo che, nessuno che (*Qualunque cosa tu decida, io ti aiuterò / Nella nostra famiglia, il solo che faccia sport è Alfredo / In questa città, non c'è nessuno che sappia dov'è il Duomo?*).

● la proposizione subordinata è un'interrogativa indiretta (*Mi sono sempre chiesto chi abbia raccontato la verità a Luca*).

● per dare una certa enfasi, invertiamo l'ordine naturale delle proposizioni e la frase subordinata introdotta da che, precede la proposizione principale che usa, in genere, i verbi sapere e dire. In questo caso, notiamo l'uso del pronome diretto lo che svolge la funzione di ripetere l'intera frase subordinata (*Che il fumo faccia male, lo sanno tutti* [Tutti sanno che il fumo fa male] / *Che lui sia bello, lo dicono tutti* [Tutti dicono che lui è bello]).

Il congiuntivo presente (e passato) lo usiamo in **frasi indipendenti**, anche se il suo uso non è molto frequente, quando:

● abbiamo una domanda dubitativa, che esprime cioè un dubbio o una supposizione, introdotta spesso da che o/e dal verbo essere (*Che sia Rossella? / I ragazzi sono in ritardo. Che abbiano trovato traffico?*).

● la frase esprime un ordine indiretto, un invito, una preghiera (*Signora, si accomodi, per favore. L'avvocato arriverà tra poco / Per il cinema Ariston prenda la prima a destra / Che mi telefoni pure, sarò a casa! / Non abbia paura!*).

● la frase esprime un desiderio, un augurio, una maledizione. In genere, in questo caso il congiuntivo è accompagnato da che, almeno, se, voglia il cielo che (*Voglia il cielo che tu possa trovare lavoro / Che vada al diavolo!*).

La concordanza dei tempi del congiuntivo

Con il verbo al presente nella frase principale, la frase secondaria esprime:
- posteriorità con il congiuntivo presente o l'indicativo futuro semplice (*Credo che Giulia torni/tornerà domani*).
- contemporaneità con il congiuntivo presente (*Credo che Giulia torni oggi*).
- anteriorità con il congiuntivo passato (*Credo che Giulia sia tornata ieri*).

Quando non usare il congiuntivo

Non usiamo il modo congiuntivo quando:
- abbiamo identità di soggetto, cioè quando il soggetto della frase principale e di quella secondaria è lo stesso, e usiamo la costruzione di + infinito (*Sono felice di venire in Italia* [stesso soggetto] - *Io sono felice che tu venga in Italia* [soggetto diverso]).
- abbiamo verbi impersonali che esprimono necessità non seguiti dal che ma da un verbo all'infinito. (*Bisogna fare presto - Bisogna che tu faccia presto*).
- abbiamo espressioni impersonali: è + aggettivo + verbo all'infinito (*È meglio partire subito, altrimenti arriveremo in ritardo - È meglio che tu parta subito, altrimenti arriverai in ritardo*).
- abbiamo espressioni come secondo me, forse, probabilmente (*Probabilmente resterò in Italia tre mesi / Non lo so, forse è stato Massimo a spedire questa email*).
- abbiamo congiunzioni come anche se, poiché, dopo che (*Anche se piove, noi andiamo lo stesso al lago / Dopo che ebbero comprato la macchina nuova, fecero un viaggio in Europa*).

Unità 6

Imperativo diretto

Usiamo l'imperativo per dare un ordine o un consiglio. Parliamo di imperativo diretto quando ci riferiamo alla 2ª persona singolare tu, alla 1ª persona plurale noi e alla 2ª persona plurale voi.

	1ª coniugazione (-are)	2ª coniugazione (-ere)	3ª coniugazione (-ire)	
	PARL**ARE**	PREND**ERE**	APR**IRE**	FIN**IRE**
tu	parl**a**!	prend**i**!	apr**i**!	fin**isci**!
noi	parl**iamo**!	prend**iamo**!	apr**iamo**!	fin**iamo**!
voi	parl**ate**!	prend**ete**!	apr**ite**!	fin**ite**!

Come possiamo vedere, la coniugazione dell'imperativo diretto è uguale a quella del presente indicativo; soltanto per i verbi in -are, la 2ª persona singolare tu finisce in -a e non in -i (*Lucio, mangia la frutta! / Alessia, guarda che bel quadro! / Gianni, ascolta questa canzone! / Vincenzo, parla piano!*).

Imperativo diretto negativo

La forma negativa dell'imperativo diretto alla 1ª persona plurale (*noi*) e alla 2ª persona plurale (*voi*) è uguale a quella del presente indicativo, cioè mettiamo non prima del verbo, dell'imperativo affermativo (*Non dimentichiamo di comprare il pane! / Non scrivete altri sms!*).
Alla 2ª persona singolare (*tu*), per avere la forma negativa mettiamo non + infinito del verbo (*Non scrivere altri sms! / Non aprire la finestra!*).

	1ª coniugazione (-are)	2ª coniugazione (-ere)	3ª coniugazione (-ire)	
	GUARD**ARE**	LEGG**ERE**	APR**IRE**	FIN**IRE**
tu	**non** parl**are**!	**non** prend**ere**!	**non** apr**ire**!	fin**ire**!
noi	**non** parl**iamo**!	**non** prend**iamo**!	**non** apr**iamo**!	fin**iamo**!
voi	**non** parl**ate**!	**non** prend**ete**!	**non** apr**ite**!	fin**ite**!

Imperativo con i pronomi

- I pronomi diretti, indiretti, le particelle pronominali *ci* e *ne* seguono l'imperativo e formano un'unica parola (*Scrivila subito! / Regaliamogli un orologio! / Prendetene solo tre!*).
- Se abbiamo la forma negativa dell'imperativo, i pronomi possono andare o prima del verbo o dopo il verbo e in quest'ultimo caso formano un'unica parola (*Non le telefonare ora! = Non telefonarle ora!*).
- Quando abbiamo le forme irregolari dell'imperativo alla 2ª persona singolare (andare = *va'* / dare = *da'* / fare = *fa'* / stare = *sta'* / dire = *di'*) i pronomi raddoppiano la consonante iniziale (*Va' a Roma! = Vacci! / Da' questo libro a tuo padre! = Dallo a tuo padre! / Fa' quello che ti dico! = Fallo! / Sta' accanto a Stefania! = Stalle accanto! / Di' a me la verità! = Dimmi la verità!*). Fa eccezione il pronome gli (*Da' il libro a Riccardo! = Dagli il libro!*).

Imperativo indiretto

L'imperativo indiretto riguarda la 3ª persona singolare e plurale (Lei e Loro). La 3ª persona plurale si incontra raramente nella lingua parlata, è ormai desueta, superata e usata soltanto in testi scritti o in ambiti molto formali.

● La coniugazione dell'imperativo indiretto è uguale a quella del presente congiuntivo (*Stia attento, signore! / Parlino più piano, per favore!*).

● I pronomi (diretti, indiretti, combinati, *ci, ne*) precedono sempre l'imperativo indiretto (*Si sieda, signora! / Glielo dica!*).

● La forma negativa dell'imperativo indiretto è data dal verbo all'imperativo preceduto da non (*Non vada via, signorina! Aspetti! / Signori, non restino in piedi!*).

Verbi essere e avere all'imperativo

	essere		**avere**	
	Forma affermativa	**Forma negativa**	**Forma affermativa**	**Forma negativa**
tu	sii!	non essere!	abbi!	non avere!
lui/lei	sia!	non sia!	abbia!	non abbia!
noi	siamo!	non siamo!	abbiamo!	non abbiamo!
voi	siate!	non siate!	abbiate!	non abbiate!
loro	siano!	non siano!	abbiano!	non abbiano!

Aggettivi indefiniti

Gli aggettivi indefiniti esprimono in modo indeterminato la quantità o la qualità del nome che accompagnano:

● gli aggettivi indefiniti che indicano quantità sono:

alcuno/a/i/e	parecchio/a/chi/chie
alquanto/a/i/e	poco/a/chi/che
altrettanto/a/i/e	qualche,
ciascuno/a	tanto/a/i/e
diverso/ a/i/e	troppo/a/i/e
molto/a/i/e	tutto/a/i/e
nessuno/a	vario/a/i/e
ogni	

> *Alcune ragazze della mia scuola hanno pubblicato un giornale / Trenta ragazzi e altrettante ragazze parteciperanno alla gita scolastica / Gabriella ha molti interessi / È da parecchio tempo che non vedo i ragazzi, stasera esco con loro / Abbiamo visitato i Musei Vaticani, per fortuna c'erano poche persone / Se hai qualche problema, parlami! / Ho già tanti problemi, non mi parlare anche dei tuoi / Per fare questo test devi rispondere a tutte le domande.*

● gli aggettivi indefiniti che indicano qualità sono:

altro/a/i/e   certo/a/i/e   qualunque   qualsiasi   tale/i

● Gli aggettivi ogni, qualche, qualsiasi, qualunque sono invariabili e li usiamo solo al singolare (*Abbiamo dato ad ogni studente due libri da leggere per l'estate / Chiamami pure a qualsiasi ora! / Qualunque decisione tu prenda, io sarò d'accordo*).

● L'aggettivo alquanto è poco usato e spesso lo sostituiamo con parecchio (*Ho avuto alquanta/parecchia paura*).

● Gli aggettivi nessuno/a, ciascuno/a variano nel genere ma non nel numero (*Nessuna scrittrice è brava come lei*). Nessuno ha un significato negativo, quindi quando precede il verbo non è accompagnato da un'altra negazione (*Nessun albero dev'essere tagliato!*). Al contrario, quando segue il verbo è accompagnato da un'altra negazione e può essere sostituito da alcuno (*Non ho trovato nessun/alcun portafoglio in macchina, chissà dove lo hai perso*). Nelle frasi interrogative può avere un significato affermativo e ha il significato di qualche (*È arrivata nessuna/qualche email per me?*).

● Tale/i varia nel numero, ma non nel genere. È spesso preceduto dall'articolo indeterminativo (*un, una, dei, delle*) per indicare una persona del tutto sconosciuta (*Questa mattina è venuto un tale signor Fiorello che ti cercava*). Quando è preceduto dall'articolo determinativo (*il, la, i, le*) o dal pronome dimostrativo (*quel, quella, quei, quelle*), indica una persona ben determinata (*Questa mattina è venuta quella tale Barbara che ti cercava*). L'aggettivo indefinito tale può avere il significato di tanto/a in alcune espressioni (*Ho provato una tale vergogna che sarei voluto sparire / Aveva una tale paura che non è venuto con noi*).

● Altro/a/i/e può avere diversi significati in base al contesto: può indicare qualcosa di nuovo (*Vorrei comprare un'altra macchina* [una macchina nuova]); può indicare qualcosa di diverso, di differente (*Quella che stai raccontando tu è un'altra storia* [una storia diversa]); può indicare qualcosa da aggiungere, una quantità aggiunta (*Ho bisogno di altri soldi* [ancora di soldi] *per pagare il mutuo in banca*); può indicare qualcosa di passato, scorso o di prossimo, successivo (*L'altro mese* [il mese passato] *sono stato a Milano / Un'altra estate* [l'estate prossima] *andremo in montagna*).

- Certo/a/i/e può avere diversi significati. Se lo usiamo al singolare, preceduto dall'articolo indeterminativo, ha lo stesso significato di un tale (*Ti saluta un certo/un tale Alberto che ho incontrato per caso al cinema*) e può indicare anche una quantità né grande né piccola (*Vedere queste foto mi crea sempre una certa emozione [un po' di emozione]*). Se lo usiamo al plurale ha lo stesso significato di alcuni/e e di qualche (*Certi/Alcuni film non posso proprio vederli*). Ha il significato di simile/i quando ci riferiamo a qualcosa o a qualcuno in tono spregiativo e non lo precisiamo non perché non conosciamo di chi o di cosa si tratti, ma perché non vogliamo precisare, proprio per non dare valore (*Certe persone [Simili persone] preferisco non averle come amiche*).
- Diverso/a/i/e e varo/a/i/e, quando precedono un nome collettivo (classe, clientela, folla, gente ecc.) o un nome al plurale, hanno lo stesso significato di alquanto, parecchio, molto (*C'era diversa/parecchia/molta gente al mare / A Capri siamo stati varie/molte volte*).

Pronomi indefiniti

I pronomi indefiniti esprimono in modo generico la quantità o l'identità del nome che sostituiscono. I pronomi indefiniti sono:

alcunché	niente, nulla	qualcosa	uno/a
chiunque	ognuno/a	qualcuno	

- Alcunché è oramai poco diffuso e il suo uso è limitato all'ambito letterario (*Di Stefano non si può dire alcunché*).
- Chiunque è invariabile, lo usiamo solo al singolare e in riferimento a persone (*Non faccio compagnia con chiunque*). Può avere anche il significato di qualunque persona che (*Chiunque [Qualunque persona che] abbia la bicicletta può partecipare alla gita che facciamo domani*).
- Niente e nulla hanno il significato di nessuna cosa. Se seguono il verbo hanno bisogno di un'altra negazione (*Niente/Nulla è cambiato da quando sei andata via*), se precedono il verbo non ne hanno bisogno (*Non è cambiato niente/nulla da quando sei andata via*). In frasi interrogative hanno il significato di qualche cosa (*Hai saputo niente/nulla [qualche cosa] di Francesco?*).
- Ognuno/a lo usiamo solo al singolare e ha il significato di ciascuno (*Ognuno ha le sue responsabilità in questa storia*).
- Qualcuno/a lo usiamo al singolare. In genere, indica una sola persona o cosa (*Qualcuno ci aspetta*), ma può anche avere il significato di una quantità indeterminata (*Alla festa di ieri c'erano tanti vecchi amici, avresti potuto salutare qualcuno*).
- Qualcosa (qualche cosa) è invariabile (*Vuoi qualcosa da mangiare?*). Seguito dall'avverbio come ha il significato di più o meno, all'incirca (*Per ristrutturare la casa abbiamo speso qualcosa come [abbiamo speso più o meno] 20 mila euro*).
- Uno/a (*Uno di voi potrebbe aiutarmi, per favore?*).

Aggettivi e pronomi indefiniti
Tra gli indefiniti come aggettivi e pronomi ricordiamo:

alcuno/a/i/e	parechio/chi/chia/chie	*Sono in diversi a non essere d'accordo con la tua proposta / Molti ragazzi preferiscono andare allo stadio a vedere la partita, ma molti preferiscono vederla in TV / Da quando vivo in campagna non è venuto a trovarmi nessuno / Ci vuole molta pazienza con il nonno ed io ne ho parecchia / Nella mia città poche persone vanno in bici e pochi usano i mezzi pubblici / Questi libri li prenderei volentieri, ma a casa ne ho già tanti e non so dove metterli / Siamo in troppi, come facciamo ad entrare tutti in macchina / Ho detto tutto a Gloria, le ho raccontato tutta la verità / Vari mi hanno rifiutato il favore.*
altro/a/i/e	poco/chi/a/che	
altrettanto/a/i/e	tale/i	
certo/a/i/e	tanto/a/i/e	
ciascuno/a	troppo/a/i/e	
diverso/a/i/e	tutto/a/i/e	
molto/a/i/e	vario/a/i/e	
nessuno/a		

- Alcuno/a/i/e lo usiamo al plurale come aggettivo nel significato di qualche (*Sono stati fatti alcuni errori [È stato fatto qualche errore]*). Al singolare lo usiamo soprattutto in frasi negative e nella lingua parlata sostituisce spesso nessuno/a (*Mi dispiace, ma non sei stato di alcun/nessun aiuto / -Hai notizie di Franco? -No, non ne ho alcuna/nessuna*).
- Altro/a/i/e se preceduto dall'articolo, ha il significato di altra persona (*Luciano non sta più con Paola, si è innamorato di un'altra*), ma può avere anche il significato di un'altra cosa (*Signora Fiore, ha bisogno di altro?*). Spesso lo usiamo insieme al pronome indefinito uno nell'espressione l'uno/a... l'altro/a, gli/le uni/e... gli/le altri/e (*Non abbiamo deciso nulla perché gli uni sono d'accordo con la proposta e gli altri non sono d'accordo*).
- Altrettanto significa della stessa quantità (*Tu hai tanti Cd, ma io ne ho altrettanti*).

- Certi/e come pronome lo usiamo soltanto al plurale a ha il significato di alcuni (*I miei vecchi compagni di università lavorano tutti, però certi/alcuni hanno trovato lavoro all'estero*).
- Ciascuno/a come pronome lo usiamo soltanto al singolare a ha il significato di ognuno (*Se ciascuno/ognuno fa quello che vuole senza pensare agli altri, le cose continueranno ad andare male*). Come vediamo dall'esempio, a ciascuno segue un verbo al singolare, ma quando il verbo precede va al plurale (*Se fanno ciascuno/ognuno quello che vogliono senza pensare agli altri, le cose continueranno ad andare male*).
- Tale/i varia nel numero, ma non nel genere. Come per l'aggettivo, anche il pronome è spesso preceduto dall'articolo indeterminativo (*un, una, dei, delle*) per indicare una persona del tutto sconosciuta (*Riccardo mi ricorda un tale che ho visto stamattina in metro*). Quando è preceduto dall'articolo determinativo (*il, la, i, le*) o dal pronome dimostrativo (*quel, quella, quei, quelle*), indica una persona ben determinata (*Di là c'è quel tale che chiede di te*).
- Tanto/a/i/e se lo usiamo in relazione a quanto/a/i/e indica la stessa quantità (*Ho comprato tanti gelati quanti sono i bambini*); se tanto è preceduto dall'articolo indeterminativo singolare un può indicare una certa cifra (*I diecimila euro che mi hai prestato te li restituirò un tanto al mese* [*ti restituirò una certa cifra ogni mese*]).

Unità 7

Congiuntivo imperfetto

	1ª coniugazione (-are)	2ª coniugazione (-ere)	3ª coniugazione (-ire)
	PARLARE	AVERE	FINIRE
io	parlassi	avessi	finissi
tu	parlassi	avessi	finissi
lui, lei, Lei	parlasse	avesse	finisse
noi	parlassimo	avessimo	finissimo
voi	parlaste	aveste	finiste
loro	parlassero	avessero	finissero

L'imperfetto congiuntivo, nelle proposizioni **indipendenti**, esprime un dubbio (*Carletta non ha giocato per niente con gli altri bambini: che avesse la febbre?*) e, in genere, un evento, un desiderio che crediamo non si possa realizzare nel presente o nell'immediato futuro (*Potessi partire con te! / Ah! Se non fossi da solo ora!*).

Nelle frasi secondarie, **dipendenti**, esprime la contemporaneità (*Credevo che tu fossi stanco*) rispetto al passato della frase principale o l'anteriorità (*Tante persone pensano che cinquant'anni fa si vivesse meglio*) rispetto al presente della frase principale.

Quando nella proposizione principale abbiamo un verbo al modo condizionale che esprime desiderio o speranza (desiderare, preferire, volere ecc.), nella proposizione secondaria abbiamo il congiuntivo imperfetto (*Vorrei che tu mi aiutassi di più / Preferirei che lei partisse domani / Desidererei tanto che Mariella venisse con noi*).

Congiuntivo trapassato

Il congiuntivo trapassato è formato dall'ausiliare essere o avere al congiuntivo imperfetto + il participio passato del verbo.

	avere + participio passato	*essere + participio passato*
io	avessi parlato	fossi andato/a
tu	avessi parlato	fossi andato/a
lui, lei, Lei	avesse parlato	fosse andato/a
noi	avessimo parlato	fossimo andati/e
voi	aveste parlato	foste andati/e
loro	avessero parlato	fossero andati/e

Il congiuntivo trapassato, nelle proposizioni **indipendenti**, indica un evento, un'ipotesi, un augurio riferito al passato, ma che non si è realizzato (*Magari ti avessi ascoltato! / Ah, se fossi venuto con me!*).

Nelle frasi secondarie, **dipendenti**, esprime anteriorità rispetto al passato della principale (*Speravo che tu fossi arrivato / Accettò di aiutarmi, nonostante avesse lavorato tutto il giorno*) o una condizione che non si è realizzata nel passato (*Se fossimo andati in vacanza a settembre, avremmo trovato meno gente e più tranquillità*).

Quando abbiamo una frase subordinata introdotta dalla congiunzione come se, il verbo che segue va sempre al congiuntivo imperfetto o trapassato indipendentemente dal verbo che abbiamo nella frase principale (*Si comporta come se fosse lui il direttore / Cominciò a urlare come se avesse visto un fantasma*).

Dopo l'interiezione magari, segue il congiuntivo imperfetto o trapassato (*Magari avessi la sua età / Magari fossi venuto prima*).

La concordanza dei tempi del congiuntivo

Con il verbo al **presente** nella frase principale, la frase secondaria esprime:
- posteriorità con il congiuntivo presente o l'indicativo futuro semplice (*Credo che Giulia torni/tornerà domani*).
- contemporaneità con il congiuntivo presente (*Credo che Giulia torni oggi*).
- anteriorità con il congiuntivo passato (*Credo che Giulia sia tornata ieri*).

Con il verbo al **passato** nella frase principale, la frase secondaria esprime:
- posteriorità con il congiuntivo imperfetto o il condizionale passato (*Credevo che Giulia andasse/sarebbe andata con Paola*).
- contemporaneità con il congiuntivo imperfetto (*Credevo che Giulia andasse con Paola*).
- anteriorità con il congiuntivo trapassato (*Credo che Giulia fosse andata con Paola*).

Uso del congiuntivo imperfetto/trapassato

Come già detto, il congiuntivo è il modo con il quale il parlante esprime un desiderio, un volere, un dubbio, un'incertezza, un'opinione soggettiva. Al contrario dell'indicativo che rappresenta il modo della realtà e della certezza.

All'uso del congiuntivo imperfetto (e trapassato) in frasi indipendenti abbiamo già accennato.

Il congiuntivo imperfetto (e trapassato) lo usiamo in frasi dipendenti, secondarie, con il verbo della principale al passato, in base agli stessi criteri del congiuntivo presente (e passato):

- il verbo della proposizione principale esprime un'opinione soggettiva (*Credevo/Immaginavo/Pensavo/Ritenevo che Antonio non volesse venire perché non gli piaceva la mia compagnia / Mi sembrava che Sandra si fosse trasferita ad Amburgo e non ad Amsterdam*).

  Nella proposizione principale possiamo trovare anche un'espressione: avere l'impressione che, avere il dubbio che, avere il sospetto che, l'opinione era che, l'ipotesi era che ecc. (*Avevo l'impressione che lei non mi stesse dicendo la verità*).

- il verbo della proposizione principale esprime un atto di volontà (*Feci di tutto affinché potesse venire anche Sandra in vacanza con noi / Ogni giorno chiedevo ai miei che mi comprassero la moto*).

  Nella proposizione principale possiamo trovare anche un'espressione: avere bisogno che, c'era bisogno che, il consiglio era che, il desiderio era che, la regola era che, lo scopo era che ecc. (*Il mio unico desiderio era che tu venissi a vivere da me*).

- il verbo della proposizione principale esprime uno stato d'animo (*Aspettavamo che finisse lo spettacolo per andare via / Mi auguro che tu ci sia domani / Temevo che Carla avesse perso il treno*).

  Nella proposizione principale possiamo trovare anche un'espressione: avere voglia che, avere il desiderio che, avere paura che, fare finta che, avere speranza che, c'era speranza che ecc. (*Avevo paura che il regalo non gli fosse piaciuto*).

- abbiamo un verbo impersonale nella proposizione principale: bisogna/occorre che, può darsi che, si diceva/dicevano che, pareva/sembrava che (*Sembrava che il Milan fosse più forte e potesse vincere, invece ha perso*).

- abbiamo un'espressione impersonale (verbo *essere* + aggettivo +che) nella proposizione principale: era necessario/importante che, era opportuno/giusto che, era meglio che, era normale/naturale/logico che, era strano/incredibile che, era possibile/impossibile che, era probabile/improbabile che, era facile/difficile che, era preferibile che (*Era normale che Paola non ti volesse più vedere dopo quanto le avevi fatto*). Ma anche era un peccato che, era ora che, era bene che (*Era ora che comprassi una macchina nuova siete*).

- il verbo al congiuntivo si lega alla frase principale perché preceduto da una congiunzione o locuzione subordinata: benché, sebbene, nonostante, malgrado (*Il tempo era proprio strano: malgrado ci fosse il sole, continuava a piovere / Nonostante/Sebbene avesse detto la verità, non gli credette nessuno*); purché, a patto che, a condizione che, basta che (*Ti avevo prestato i soldi a patto che/a condizione che/purché tu me li restituissi*); senza che, (*Era stato arrestato dalla polizia senza che avesse fatto nulla*); nel caso (in cui) (*Ho mandato te, nel caso in cui non fossi venuto*); affinché, perché (*Ho comprato i biglietti affinché/perché andassimo al concerto*); prima che (*Siamo andati via prima che finisse il film*); a meno che, fuorché, tranne che, salvo che (*Potevo credere a tutto, fuorché/salvo che/tranne che Paolo avesse cominciato a lavorare*).

- la proposizione subordinata è una relativa e il verbo al congiuntivo è preceduto da un superlativo relativo (*Era la persona più sincera che io avessi conosciuto*).

- la proposizione subordinata è una relativa che esprime uno scopo (*Il direttore cercava una segretaria che conoscesse bene tre lingue*), una conseguenza (*Non era un appartamento che tu potessi comprare*).

- la subordinata si lega alla frase principale grazie a un aggettivo o un pronome indefinito: chiunque, qualsiasi, qualunque, (d)ovunque, comunque, l'unico/il solo che, nessuno che (*Nella nostra famiglia, il solo che facesse sport era mio fratello*).

- la proposizione subordinata è un'interrogativa indiretta (*Mi sono sempre chiesto chi facesse i graffiti sui muri*).

- per dare una certa enfasi, invertiamo l'ordine naturale delle proposizioni e la frase subordinata introdotta da che, precede la proposizione principale che usa, in genere, i verbi sapere e dire. In questo caso, notiamo l'uso del pronome diretto lo che svolge la funzione di ripetere l'intera frase subordinata (*Che il fumo facesse male, lo sapevano tutti* [Tutti sapevano che il fumo faceva male]).

189

Unità 8

Periodo ipotetico

Il periodo ipotetico è formato da due proposizioni: una subordinata, introdotta dalla congiunzione se, che esprime la condizione (protasi) e una principale che esprime la conseguenza (apodosi). [*Se avrò tempo* (protasi), *passerò da casa tua* (apodosi)].

In genere, in italiano distinguiamo tre tipi di periodo ipotetico:

- Il periodo ipotetico di 1° tipo o della realtà esprime un evento certo o che si realizzerà con certezza.
  Se + indicativo presente/futuro semplice > indicativo presente/futuro semplice/imperativo
  Se finisco prima, verrò da te / Se avrò tempo, andrò a fare spese / Se vai all'edicola, comprami il giornale!

- Il periodo ipotetico di 2° tipo o della possibilità esprime un evento ritenuto possibile e non certo.
  Se + congiuntivo imperfetto > condizionale semplice
  Se avessi tempo libero, andrei in palestra / Se fosse un vero amico, mi farebbe questo piacere

- Il periodo ipotetico di 3° tipo o dell'irrealtà/impossibilità, in quanto esprime un evento irrealizzabile perché contrario alla realtà o perché riferito al passato, e quindi immodificabile.
  Se + congiuntivo imperfetto > condizionale semplice (i fatti ipotizzati sono al presente)
  Se tutti fossero come te, il mondo andrebbe sicuramente meglio
  Se + congiuntivo trapassato > condizionale passato (i fatti ipotizzati sono al passato)
  Se me l'avessi chiesto, te l'avrei dato
  Se + congiuntivo trapassato > condizionale semplice (i fatti ipotizzati sono al passato con conseguenza nel presente)
  Se avessi comprato un computer migliore, ora non avresti tutti questi problemi
  Se + indicativo imperfetto > indicativo imperfetto (nella lingua parlata, registro poco formale)
  Se mi telefonavi/avessi telefonato, venivo/sarei venuto subito

Alcune volte, il verbo della protasi non c'è, è sottinteso; altre volte è sottintesa l'intera protasi ([*Se io fossi al posto tuo*] *Al posto tuo, comprerei un appartamento in centro*).

Nella lingua parlata, alcune volte la congiunzione se è sottintesa (*Avessi i tuoi soldi* [*Se io avessi i tuoi soldi*], *comprerei un appartamento in centro / Fossi in te* [*Se io fossi in te*], *non mi comporterei così*).

Usi di *ci*

pronome riflessivo (1ª persona plurale)	*Noi, di solito, ci svegliamo presto, alle 7.*
costruzione impersonale di un verbo riflessivo	*Con il tempo ci si abitua a vivere in città.*
pronome diretto (*noi*)	*Luca ci ha invitato a casa sua stasera.*
pronome indiretto (*a noi*)	*Daniela ha detto che ci telefonerà domani.*
ci + essere = essere presente (qualche volta: esistere)	*Al concerto di Tiziano Ferro c'erano più di ventimila persone.*
ci + entrare = trovare posto	*In questa stanza non c'entra questo salotto.*
ci + entrare = avere relazione con qualcosa	*Cosa c'entra che non è italiano, è un bravissimo ragazzo.*
ci pleonastico	*Il tablet ce l'ho io perché sto lavorando.*
	Mio nonno ormai ci sente poco, devi gridare se vuoi farti sentire.
pronome che sostituisce *ad una cosa/persona*	*Non ci credo perché in te non ho nessuna fiducia!*
	Ci ho pensato tante volte: vado a lavorare all'estero.
	Ferro è un cane un po' strano: ci starò attento.
pronome che sostituisce *con qualcosa/qualcuno*	*Non ci scherzare, la situazione è molto seria.*
	Come va con Gloria? Ci sto benissimo.
pronome che sostituisce *su una cosa/persona*	*Luigi è un ragazzo simpatico: ci conto molto.*
	Ci ho riflettuto a lungo, non vengo con te.
	Speriamo che vinca Fulmine, ci ho scommesso cento euro.
pronome che sostituisce *in una cosa/persona*	*Non è stato un buon affare, ci ho perduto molti soldi.*
	Io non ci credo in dio.
pronome che sostituisce *di una cosa*	*Parli sempre di teatro, ma io non ci capisco niente.*
pronome che sostituisce *da una cosa/persona*	*Da quanto tempo non vedo Silvio? Ci sono stato stamattina.*
	Abbiamo discusso tutta la sera, ma non ci abbiamo ricavato nulla.
ci particella avverbiale che sostituisce *in un luogo*	*Il fine settimana andiamo a Roma, tu ci vieni?*
	Eravamo andati per due giorni, ma ci siamo rimasti due settimane.
espressioni particolari (*volerci, metterci, farcela*)	*Per Firenze di solito ci vogliono tre ore, ma io ci metto due.*
	Ho bisogno di qualche giorno di ferie, non ce la faccio più!

Usi di *ne*

ne partitivo	*Quanti anni ha Giorgio? Ne ha trenta.* *Quanti libri ho letto? Ne ho letto due di Camilleri e due di Tabucchi.* *Di email ne ricevo parecchie ogni giorno.*
pronome che sostituisce *di qualcosa/qualcuno*	*Sandra è partita ieri ed io ne sento già la mancanza.* *Hai sentito cosa è successo con il nuovo governo? Cosa ne pensi?* *Ragazzi, oggi studiamo Leopardi. Ve ne ho già parlato?*
pronome che sostituisce *da qualcosa/qualcuno*	*Non credo sia un buon affare: ne guadegnerà solo la banca.* *Ti ho detto di non frequentare quei ragazzi: devi starne lontana!* *Si tratta di una situazione così difficile che non so come uscirne.*
ne particella avverbiale che sostituisce *da un luogo*	*Sì, prima ero a casa. Ne sono uscito circa un'ora fa.* *È tardi ed io me ne vado.* *Fino a ieri eravamo a Capri, ne siamo partiti con gran dispiacere.*
espressioni particolari: *dimenticarsene, ricordarsene* *starsene* *valerne la pena* *averne abbastanza* *non poterne più* *farne di cotte e di crude* *combinarne di tutti i colori* *farsene una ragione*	*Che Paolo ha il compleanno me ne sono ricordato.* *Questo fine settimana me ne sto tranquillo in casa.* *Non stare a sentire Claudio, non ne vale la pena [merita di essere ascoltato].* *Scusami, ma ne ho abbastanza [sono stufo] di ascoltare sempre le stesse cose.* *Non ne posso più [sono stufo, non sopporto più la] della tua stupida gelosia.* *Ne ha fatte di cotte e di crude [causare danni, guai, anche in senso ironico].* *Da piccolo, ne ho combinate di tutti i colori [ho combinato tanti guai].* *Ormai me ne sono fatto una ragione [ho accettato la situazione anche se non mi piace].*

Unità 9

La forma passiva

Nella forma attiva, sia per i verbi transitivi sia per quelli intransitivi, chi compie l'azione (l'agente) è sempre il soggetto della frase. Nel nostro esempio, con il verbo transitivo *scrivere*, il soggetto è *Alessandro*.

> *Alessandro scrive un nuovo libro.* (forma attiva)
> *Un nuovo libro è scritto da Alessandro.* (forma passiva)

Si ha forma passiva solo dei verbi transitivi, quelli che hanno un oggetto diretto ("un nuovo libro"), che nella forma passiva diventa soggetto. Ma nella forma passiva il soggetto non compie l'azione, la quale è compiuta da un agente ("Alessandro"), ma la subisce. Usiamo, quindi, la forma passiva quando vogliamo porre l'attenzione soprattutto sull'azione e non tanto su chi la compie.

Per la costruzione della forma passiva usiamo il verbo essere + il participio passato del verbo, che concorda in genere e numero con il soggetto della frase. *Essere* dev'essere coniugato al tempo del verbo della forma attiva. Nella forma passiva, la preposizione da precede quello che era il soggetto della forma attiva, diventato, come già detto, agente nella frase passiva.

> *Tutti hanno letto il giornale.* (forma attiva)
> *Il giornale è stato letto da tutti.* (forma passiva)

Nella costruzione della forma passiva, con i tempi semplici, possiamo usare sia il verbo essere sia il verbo venire (*Il giornale è/viene letto dal nonno* [*Il nonno legge il giornale*]); nei tempi composti soltanto il verbo essere (*Il giornale è stato letto dal nonno*).

I pronomi alla forma passiva

I pronomi, nel passare dalla forma attiva alla forma attiva:

- spariscono se si tratta di pronomi diretti, mentre il participio passato del verbo alla forma passiva concorda in genere e numero con il pronome diretto della forma attiva (*Sono stati chiamati dal direttore* [*Li ha chiamati il direttore*]).
- rimangono se si tratta di pronomi indiretti che compongono un pronome combinato, mentre il participio passato del verbo alla forma passiva concorda in genere e numero con il pronome diretto della forma attiva, pronome diretto che scompare alla forma passiva (*Queste rose le sono state date da suo marito* [*Queste rose gliele ha date suo marito*]).

La forma passiva con *dovere* e *potere*

La forma passiva dei verbi modali (dovere, potere) si forma con l'infinito del verbo essere + il participio passato del verbo (*Il conto del ristorante deve essere pagato da Luigi* [Luigi deve pagare il conto del ristorante] / *È un'opera d'arte che non può essere fotografata da nessuno* [Nessuno può fotografare quest'opera d'arte]).

La forma passiva con *andare*

Nella costruzione della forma passiva, con i tempi semplici, possiamo usare il verbo andare + il participio passato del verbo per esprimere un'idea di necessità, di obbligo (*La bolletta del telefono va pagata/deve essere pagata entro domani* [Entro domani bisogna/dobbiamo pagare la bolletta del telefono] / *Il farmaco va preso/deve essere preso prima dei pasti* [Prima dei pasti dobbiamo/bisogna prendere il farmaco]).

Il si passivante

È possibile costruire la forma passiva anche con il si passivante, cioè la particella pronominale si + 3ª persona singolare o plurale di un verbo alla forma attiva. In questa costruzione non è espresso il complemento d'agente, cioè l'autore dell'azione, in quanto il *si passivante* dà alla frase un senso impersonale.

Ogni anno l'Europa finanzia vari progetti.	(forma attiva)
Ogni anno (in Europa) si finanziano vari progetti.	(forma passiva con il si passivante)
Ogni anno vari progetti sono/vengono finanziati dall'Europa.	(forma passiva)

La forma passiva con i verbi modali dovere, potere e volere, possiamo costruirla anche con il *si passivante* + 3ª persona singolare o plurale di *dovere, potere, volere* + verbo all'infinito. In questo caso, la differenza consiste nel carattere di impersonalità che conferisce il *si passivante* alla frase (*Il conto del ristorante si deve pagare* / *Il conto del ristorante deve essere pagato da Luigi* [Luigi deve pagare il conto del ristorante]).

Per distinguere se abbiamo un si passivante o un si impersonale dobbiamo ricordare che:

- il si passivante ha sempre il verbo che concorda con il soggetto che lo segue (*In quel ristorante si mangia un'ottima pizza* / *In quel ristorante si mangiano delle buonissime pizze*).
- il si impersonale ha sempre il verbo senza un complemento oggetto che lo segue (*In quel ristorante si mangia molto bene*).

Il si passivante nei tempi composti

Quando abbiamo un tempo composto, la costruzione con il *si passivante* è data da: si + ausiliare *essere* + participio passato del verbo, che concorda in genere e numero con il soggetto della frase (*Si è costruito un nuovo stadio per le Olimpiadi* / *Un nuovo stadio è stato costruito dal Ministero per le Olimpiadi* [Il Ministero ha costruito un nuovo stadio per le Olimpiadi]).

Unità 10

Discorso diretto e discorso indiretto

Nel passaggio dal discorso diretto al discorso indiretto abbiamo una o più proposizioni subordinate che dipendono da una principale contenente un verbo dichiarativo (*dire, affermare, domandare, rispondere, chiedere, osservare* ecc. (*Luigi dice ad Elena: «Domani andrò a Roma»* ⇨ *Luigi dice ad Elena che domani andrà a Roma*).

- Nel passaggio dal discorso diretto al discorso indiretto, se il verbo della frase principale è al passato, i verbi cambiano in base a delle regole:
  - indicativo presente ⇨ indicativo imperfetto (*Elisa disse: «Giovanni ha un bel cane»* ⇨ *Elisa disse che Giovanni aveva un bel cane*).
  - indicativo presente ⇨ congiuntivo imperfetto (*Elisa ha chiesto a Giovanni: «Cosa hai?»* ⇨ *Elisa ha chiesto a Giovanni cosa avesse*).
  - indicativo presente o futuro ⇨ condizionale composto (*Elisa ci ha promesso: «Non lo faccio/farò più»* ⇨ *Elisa ci ha promesso che non lo avrebbe fatto più*).
  - indicativo passato prossimo ⇨ indicativo trapassato prossimo (*Elisa disse: «Ho comprato un nuovo libro»* ⇨ *Elisa disse che aveva comprato un nuovo libro*).
  - indicativo passato remoto ⇨ indicativo trapassato prossimo (*Elisa ha detto: «Feci tutto da sola»* ⇨ *Elisa ha detto che aveva fatto tutto da sola*).
  - indicativo imperfetto ⇨ indicativo imperfetto (*Elisa disse: «Da bambina ero molto timida»* ⇨ *Elisa disse che da bambina era molto timida*).
  - indicativo trapassato prossimo ⇨ indicativo trapassato prossimo (*Elisa mi disse: «Avevo preparato dei panini per il pic nic»* ⇨ *Elisa mi disse che aveva preparato dei panini per il pic nic*).
  - indicativo futuro semplice ⇨ condizionale composto (*Elisa rispose: «Non sposerò mai Giovanni»* ⇨ *Elisa rispose che non avrebbe sposato mai Giovanni*).

- condizionale semplice ⇨ condizionale composto (*Elisa disse: «Andrei io, ma non posso»* ⇨ *Elisa disse che sarebbe andata lei, ma non poteva*).
- condizionale composto ⇨ condizionale composto (*Elisa disse: «Sarei andata, ma non potevo»* ⇨ *Elisa disse che sarebbe andata, ma non poteva*).
- congiuntivo presente ⇨ congiuntivo imperfetto (*Elisa ha detto: «Credo che lui non stia bene»* ⇨ *Elisa credeva che lui non stesse bene*).
- congiuntivo imperfetto ⇨ congiuntivo imperfetto (*Elisa ha detto: «Credevo che Walter fosse italiano»* ⇨ *Elisa credeva che Walter fosse italiano*).
- congiuntivo passato ⇨ congiuntivo trapassato (*Elisa disse: «Credo che Gabriele sia andato in ufficio»* ⇨ *Elisa credeva che Gabriele fosse andato in ufficio*).

- Nel passaggio dal discorso diretto al discorso indiretto, se il verbo della frase principale è al presente o al passato prossimo, ma gli effetti dell'azione permangono nel presente, l'indicativo presente non cambia:
  - indicativo presente ⇨ indicativo imperfetto (*Elisa ha detto: «Giovanni è felice»* ⇨ *Elisa ha detto che Giovanni è felice / Elisa dice: «Domani parto»* ⇨ *Elisa dice che domani parte*).
- Nel passaggio dal discorso diretto al discorso indiretto, in genere, i pronomi personali e gli aggettivi e i pronomi possessivi di 1ª e 2ª persona singolare e plurale cambiano alla 3ª persona, rispettivamente singolare e plurale.
  - io, tu ⇨ lui, lei (*Elisa ha detto: «Io non vengo»* ⇨ *Elisa ha detto che lei non viene*).
  - noi, voi ⇨ loro (*I ragazzi dicono: «Noi ce ne andiamo»* ⇨ *I ragazzi dicono che (loro) se ne vanno*).
  - mio, tuo ⇨ suo (*Elisa dice a Maria: «Ti regalo la mia matita»* ⇨ *Elisa dice a Maria che le regala la sua matita*).
  - nostro, vostro ⇨ loro (*I ragazzi hanno detto: «Ci vediamo a casa nostra»* ⇨ *I ragazzi hanno detto che ci vediamo a casa loro*).
- Nel passaggio dal discorso diretto al discorso indiretto, anche gli aggettivi e i pronomi dimostrativi possono cambiare.
  - questo ⇨ quello (*Elisa dice: «Voglio questa camicetta»* ⇨ *Elisa dice che vuole quella camicetta*).
- Nel passaggio dal discorso diretto al discorso indiretto, se il verbo della proposizione principale è al passato, anche gli avverbi di tempo e di luogo possono cambiare.
  - ora (adesso, in questo momento) ⇨ allora (in quel momento) (*Elisa ha detto: «In questo momento non posso telefonarti»* ⇨ *Elisa ha detto che in quel momento non poteva telefonargli*).
  - ieri ⇨ il giorno prima, il giorno precedente (*Elisa ha detto: «Ci siamo visti ieri»* ⇨ *Elisa ha detto che si erano visti il giorno prima*).
  - oggi ⇨ quel giorno (*Elisa ha detto: «Partirò oggi»* ⇨ *Elisa ha detto che sarebbe partita quel giorno*).
  - domani ⇨ il giorno dopo, il giorno seguente (*Elisa disse: «Arriverò domani»* ⇨ *Elisa disse che sarebbe arrivata il giorno seguente*).
  - qui, qua ⇨ lì, là (*Elisa ha detto: «Vi aspetto qui»* ⇨ *Elisa ha detto che li aspettava lì*).
  - ...fa ⇨ ...prima (*Elisa ha detto: «Sono arrivata due ore fa»* ⇨ *Elisa ha detto che era arrivata due ore prima*).
  - fra... ⇨ ...dopo (*Elisa disse: «Me ne vado fra un paio d'ore»* ⇨ *Elisa disse che se ne andava dopo un paio d'ore*).
- Nel passaggio dal discorso diretto al discorso indiretto, cambia anche.
  - venire ⇨ andare (*Elisa ha detto: «I ragazzi vengono al mare con me»* ⇨ *Elisa ha detto che i ragazzi andavano al mare con lei*).
  - imperativo ⇨ congiuntivo imperfetto / di + infinito (*Elisa disse a Carletta: «Va' dalla mamma!»* ⇨ *Elisa disse a Carletta che andasse dalla mamma / Elisa disse a Carletta di andare dalla mamma*).
- Nel passaggio dal discorso diretto al discorso indiretto può cambiare anche.
  - domanda al passato ⇨ (se+) congiuntivo o indicativo (*Le chiese: «Hai visto Marco?»* ⇨ *Le chiese se avesse (aveva) visto Marco*).
  - domanda al futuro ⇨ (se+) condizionale composto (*Mi ha chiesto: «A che ora tornerai?»* ⇨ *Mi ha chiesto a che ora sarei tornato*).

Quindi, nel passaggio dal discorso diretto al discorso indiretto, come abbiamo visto, NON cambia l'indicativo imperfetto e trapassato prossimo, il congiuntivo imperfetto e trapassato, ma anche: l'infinito, il gerundio e il participio (*Elisa disse: «Andando a casa ho visto Alfredo»* ⇨ *Elisa disse che andando a casa aveva visto Alfredo / Giovanni disse: «Dopo aver mangiato sono uscito»* ⇨ *Giovanni disse che dopo aver mangiato era uscito*).

Il periodo ipotetico nel discorso indiretto
Nel passaggio dal discorso diretto al discorso indiretto, se il verbo della frase principale è al passato i tre tipi del periodo ipotetico diventano tutti del terzo tipo.

- periodo ipotetico del 1° tipo (realtà), del 2° tipo (possibilità), del 3° tipo (impossibilità) ⇨ periodo ipotetico del 3° tipo (*Elisa disse: «Se vado in città cambierò lavoro» / Elisa disse: «Se andassi in città cambierei lavoro» / Elisa disse: «Se fossi andata in città avrei cambiato lavoro»* ⇨ *Elisa disse che se fosse andata in città avrebbe cambiato lavoro*).

Naturalmente, se il verbo della frase principale è al presente i tre tipi del periodo ipotetico conservano i loro tempi verbali (*Elisa dice: «Se vado in città cambierò lavoro»* ⇨ *Elisa dice che se va in città cambia lavoro*).

Unità 11

Il modo gerundio, infinito e participio sono modi indefiniti, cioè non indicano la persona che compie l'azione. A volte, hanno la funzione di aggettivo o di sostantivo.

Gerundio semplice

1ª coniugazione (-are)	2ª coniugazione (-ere)	3ª coniugazione (-ire)
GUARD**ARE**	LEGG**ERE**	PART**IRE**
guard**ando**	legg**endo**	part**endo**

Il gerundio semplice è indeclinabile. Esprime un'azione contemporanea a quella espressa dal verbo della frase principale (*Uscendo dal cinema, ho incontrato Filippo*).
Alcuni verbi sono irregolari al gerundio: bere - bevendo, dire - dicendo, fare - facendo.

Gerundio composto

avere + participio passato	*essere + participio passato*
avendo guardato	essendo partito/a/i/e

Il gerundio composto è formato dall'ausiliare essere o avere al gerundio semplice + il participio passato del verbo.
Il gerundio composto esprime un'azione anteriore a quella della principale (*Essendo uscito prima dall'ufficio, sono andato in centro a fare spese*).

Uso del gerundio

Il gerundio presenta un evento o un'azione sempre in relazione al verificarsi di un altro evento espresso dal verbo della proposizione principale. Infatti, il gerundio lo usiamo in proposizioni dipendenti in cui il soggetto è sempre uguale a quello della principale. Le funzioni del gerundio possono essere

- modale, gerundio semplice, indica il modo in cui ci si comporta quando si compie un'azione (*Correndo* [= di corsa] *è arrivato puntuale all'appuntamento*).
- strumentale , gerundio semplice, indica il mezzo, lo strumento con cui si compie l'azione espressa dalla frase principale (*Sbagliando* [= con lo sbagliare] *s'impara / Luisa è dimagrita seguendo* [= con il seguire] *una dieta*).
- temporale, gerundio semplice, indica la contemporaneità con l'azione espressa dalla frase principale (*Studiava ascoltando* [= mentre ascoltava] *la radio*).
- causale, gerundio semplice o composto, indica il motivo, la causa per cui si compie l'azione espressa dalla principale (*Essendo finita* [= poiché era finita] *la benzina, abbandonarono l'auto / Conoscendo* [= poiché conosco] *la persona, ho evitato d'incontrarla*).
- concessiva, gerundio semplice o composto sempre preceduto da pur, indica l'evento nonostante il quale si compie l'azione espressa dalla frase principale (*Pur essendo* [= nonostante sia] *milanese, Fabio tifa per la Roma / Pur avendo mangiato* [= nonostante abbia mangiato] *tanto, Antonio si lamentava di avere ancora fame*).
- condizionale, gerundio semplice, indica la condizione necessaria perché si compia l'azione espressa dalla frase principale (*Continuando* [= se continueranno] *così, finiranno presto in carcere*).

Come già detto, il gerundio usato nelle proposizioni subordinate ha sempre lo stesso soggetto della proposizione principale. Quando usiamo il gerundio in forma assoluta, cioè con un soggetto diverso da quello della frase principale, allora bisogna esprimere il soggetto (*Avendo i ragazzi gli esami,* [noi] *abbiamo rimandato il viaggio*). Si tratta comunque di una costruzione poco frequente.
Infine, il gerundio lo usiamo, e lo abbiamo già visto nell'unità 2, in costruzioni perifrastiche

- stare + gerundio, esprime l'aspetto progressivo di un'azione, indica un'azione in corso (*Ora sto mangiando, ci vediamo tra un po'*).
- andare + gerundio, esprime un'azione progressiva, lo sviluppo di un'azione (*Il paziente va migliorando*).
- stare per + gerundio, esprime un'azione che inizierà in un futuro immediato, un'azione che sta per accadere (*Entriamo nella sala perché il film sta per cominciare*).

I pronomi diretti, indiretti, combinati, riflessivi e le particelle pronominali *ci* e *ne* seguono sempre il verbo al gerundio con il quale formano una sola parola (*Leggendolo capì perché tutti gli consigliavano quel libro / Essendosi svegliata prima, ha preparato la colazione*).

Infinito presente e passato

1ª coniugazione (-are)	2ª coniugazione (-ere)	3ª coniugazione (-ire)
	Infinito presente	
guard**are**	legg**ere**	part**ire**
	Infinito passato	
avere guardato	avere letto	essere partito

L'infinito passato è formato dall'infinito presente dell'ausiliare essere o avere + il participio passato del verbo.

Uso dell'infinito

L'infinito presente esprime la contemporaneità (*Sono contento di partire*) o la posteriorità (*Spero di partire la prossima settimana*) di un'azione espressa dalla frase secondaria rispetto alla frase principale.
Usiamo l'infinito presente

- come sostantivo, e come tale ha funzione di soggetto (*Camminare [Il camminare] fa bene / Spesso sperare [lo sperare, cioè la speranza] aiuta a vivere meglio*).
- in frasi esclamative o interrogative (*Parlare così a me! / E ora, che fare? / Che dire?*).
- in istruzioni e divieti (*Compilare il modulo in tutte le sue parti / Tenere fuori dalla portata dei bambini / Non fumare!*).
- in molte frasi, quando abbiamo lo stesso soggetto nella frase principale e nella secondaria, l'infinito presente è preceduto dalle preposizioni di, a, da (*Penso di invitare tutti i colleghi / Giulio non è qui, è andato a comprare il latte / Ho preparato da mangiare per tutti*).
- in frasi finali, quando abbiamo lo stesso soggetto nella frase principale e nella secondaria, usiamo la costruzione per + infinito presente (*Sono andato via per non vederla* [= *Sono andato via al fine di non vederla*]).
- in frasi relative (*Se non sbaglio è stato Dario a parlarmene* [= *Se non sbaglio è stato Dario che me ne ha parlato*] / *Sono sicuro: sei una persona di cui potermi fidare* [= *Sono sicuro: sei una persona della quale mi posso fidare*]).
- in frasi condizionali, quando abbiamo lo stesso soggetto nella frase principale e nella secondaria, usiamo la costruzione a + infinito presente (*A giudicare dall'apparenza, si sbaglia* (= *Se si giudica dall'apparenza, si sbaglia / A saperlo, sarei venuto anch'io con voi* [= *Se lo avessi saputo, sarei venuto anch'io con voi*]).
- nelle costruzioni causative fare + infinito presente e lasciare + infinito presente. In queste costruzioni non è il soggetto a compiere l'azione, ma spinge qualcun'altro a compierla (*Ho fatto fare la torta a mai madre perché sapevo che sarebbe stata più buona / Per la prima volta dopo tanti anni, ho lasciato andare i ragazzi da soli in vacanza*]).
- nelle costruzione perifrastica stare per + infinito, che esprime un'azione che sta per accadere (*Finalmente, le pizze stanno per arrivare*).

Usiamo l'infinito passato per esprimere l'anteriorità dell'azione espressa dalla frase secondaria rispetto alla frase principale

- in frasi temporali, quando abbiamo lo stesso soggetto nella frase principale e nella secondaria, usiamo la costruzione dopo + infinito passato (*Dopo aver mangiato mi sono messo in viaggio* [*Prima ho mangiato e dopo mi sono messo in viaggio / Dopo aver finito l'università, ho trovato subito lavoro* [*Prima ho finito l'università e dopo ho trovato lavoro*]).
- in frasi causali, quando abbiamo lo stesso soggetto nella frase principale e nella secondaria, usiamo la costruzione per + infinito passato (*Abbiamo perso il treno per essere usciti tardi di casa* [*Abbiamo perso il treno perché siamo usciti tardi di casa*] / *Eravamo tanto stanchi per aver camminato tutto il giorno* [*Eravamo tanto stanchi perché avevamo camminato tutto il giorno*]).

I pronomi diretti/indiretti atoni, come pure le particelle pronominali *ci, ne* e i pronomi riflessivi, seguono sempre l'infinito, che perde l'ultima vocale *-e*, e formano un'unica parola. (*Hai visto Andrea? Devo parlargli / Non sono venuto alla tua festa perché c'era Elisabetta e non volevo incontrarla*).

Participio presente e passato

1ª coniugazione (-are)	2ª coniugazione (-ere)	3ª coniugazione (-ire)
	Participio presente	
CANT**ARE**	CRED**ERE**	USC**IRE**
cant**ante/i**	cred**ente/i**	usc**ente/i**
	Participio passato	
cant**ato**	cred**uto**	usc**ito**

Per i verbi irregolari al participio passato vedere l'Approfondimento grammaticale del Quaderno degli esercizi 1.

Uso del participio

Il participio presente può essere usato in funzione di

- aggettivo, concorda in genere e numero con il nome (*In questa biblioteca ci sono tanti libri interessanti / Uno spettacolo divertente / Sono dei ragazzi ubbidienti*).
- sostantivo (*È veramente una brava cantante / Vi presento i miei assistenti / Nella mia famiglia sono tutti credenti*).
- verbo, anche se raramente. Di solito, lo incontriamo nel linguaggio letterario e burocratico, ed esprime un'azione contemporanea all'azione espressa dal verbo della frase principale (*Una squadra vincente [che vince] / Il pezzo mancante [che manca] / È arrivato un pacco contenente libri [che contiene libri]*).

Il participio passato può avere un valore:

- causale (*Bloccato nel traffico [Poiché sono rimasto bloccato nel traffico], sono arrivato in ritardo in ufficio*).
- relativo (*L'appartamento acquistato in centro [L'appartamento che è stato acquistato in centro], è stato un buon investimento*).
- temporale: (*[Una volta/Appena] Raccontatagli tutta la verità, me ne andrò [Me ne andrò soltanto dopo che gli avrò raccontato tutta la verità / Me ne andrò soltanto dopo avergli raccontato tutta la verità]*).

Il participio passato di un verbo transitivo ha valore passivo (*I ladri, sorpresi dalla polizia, si sono dati alla fuga [Appena i ladri sono stati sorpresi dalla polizia, si sono dati alla fuga] / Allo sciopero indetto per domani hanno aderito molte sigle sindacali [Allo sciopero che è stato indetto per domani hanno aderito molte sigle sindacali]*).

Il participio passato può avere anche valore di:

- aggettivo (*La lettura è il mio passatempo preferito / È un bellissimo libro illustrato*).
- sostantivo (*Io vorrei un fritto di pesce / Tutti i partiti hanno votato questa legge ingiusta / Abito a un isolato da qui*).

Il participio passato non si accorda con il soggetto e rimane invariato quando è preceduto dall'ausiliare avere (*Silvia ha scritto questa canzone per te. Ti piace? / Siamo andati via subito perché c'era troppa confusione*).
Quando però il complemento oggetto della frase è rappresentato dai pronomi diretti atoni di terza persona (lo, la, li, le, ma anche dalla particella ne), l'accordo del participio passato è obbligatorio (*I libri che avevo preso in vacanza li ho letti tutti / Dei tre libri che avevo preso in vacanza ne ho letti solo due*).
Quando il complemento oggetto della frase è rappresentato dai pronomi diretti atoni non di terza persona (mi, ti, ci, vi), l'accordo del participio passato è facoltativo (*Beatrice vi ha incontrato / incontrati?*).

Nomi alterati

I suffissi usati per alterare un nome non cambiano il suo significato in senso stretto, ma si limitano ad alterarne la dimensione (piccolo - diminutivo, grande - accrescitivo) e il valore (positivo - vezzeggiativo, negativo - peggiorativo/dispregiativo). Spesso, lo stesso nome alterato può assumere diverse connotazioni in base al contesto e al valore affettivo attribuitogli da chi parla. Ad esempio, gli accrescitivi possono essere usati anche in senso peggiorativo, i diminutivi in senso vezzeggiativo (manina, casetta) o dispregiativo (romanzetto).
Vediamo i suffissi più frequenti usati per alterare i nomi:

Diminutivi

-ino/a	formica-formichina	-ello/a	albero-alberello
-etto/a	camera-cameretta	-icello/a	vento-venticello
-icci(u)olo/a	porto-porticciolo	-olino/a	sasso-sassolino
-olo/a	montagna-montagnola		

Accrescitivi

-one/a	mano-manona, donna-donnone	-acchione/a	furbo-furbacchione

Peggiorativi

-accio/a	cappello-cappellaccio	-astro/a	dolce-dolciastro
-aglia	gente-gentaglia	-ucolo/a	poeta-poetucolo
-uncolo/a	ladro-ladruncolo	-iciattolo/a	fiume-fiumiciattolo
-uccio/a	avvocato-avvocatuccio		

Vezzeggiativi

-uccio/a	caldo-calduccio, bocca-boccuccia	-uzzo/a	pietra-pietruzza
-otto/a	passero-passerotto	-acchiotto/a	lupo-lupacchiotto

Particolarità dei nomi alterati

- Nomi alterati con più suffissi (borsa ⇨ bors-ett-ina, tavolo ⇨ tavol-in-etto, fiore ⇨ fior-ell-ino, uomo ⇨ om-acci-one).
- I nomi che terminano in -one, nell'alterazione con il diminutivo -ino prendono una -c- tra la radice e il suffisso (leone - leoncino, cannone - cannoncino, padrone- padroncino).

- I nomi che terminano in -cio (con la i atona, non accentata), nell'alterazione con il diminutivo -etto perdono la i (bacio - bacetto).
- A volte con il suffisso accrescitivo -one, il nome alterato cambia genere (la donna - il donnone, la febbre - il febbrone, la barca - il barcone).
- A volte il suffisso peggiorativo -aglia può trasformare il nome in un nome collettivo (ferro - ferraglia).
- Alcuni nomi nel diventare alterati cambiano in parte la radice (uomo - omone, cane - cagnone).
- A volte, il suffisso -ello non si lega direttamente al nome, ma viene preceduto dagli interfissi -(i)c- e -er- o -ar-(fuoco ⇨ fuoch-er-ello, campo ⇨ camp-ic-ello, pazza ⇨ pazz-ar-ella).
- A volte, il suffisso -ino non si lega direttamente al nome, ma viene preceduto dagli interfissi -(i)c(c)- o -ol- (bastone ⇨ baston-c-ino, libro ⇨ libr-ic(c)-ino, topo ⇨ top-ol-ino).

Alcuni nomi sembrano alterati, ma in realtà non lo sono, sono dei falsi alterati. Ad esempio, collina (colla), focaccia (foca), burrone (burro), lampone (lampo), fumetto (fumo), lupino (lupo), limone (lima), mulino (mulo), forchetta (forca), rubinetto (rubino), rapina (rapa), tacchino (tacco), bottone (botte).

Indice

Indice dei CD audio di *Nuovo Progetto italiano 2*

CD audio 1 [42'11"]

Unità Prima di... cominciare
1 1a. (1, 2, 3, 4, 5, 6, 7, 8) [1'51"]

Unità 1
2 Per cominciare 2 [1'44"]
3 B1 (a, b, c, d) [1'13"]
4 C1 [1'06"]
5 D1 [0'50"]
6 Quaderno degli esercizi [2'10"]

Unità 2
7 Per cominciare 3 [1'30"]
8 B2 (a, b, c, d) [1'09"]
9 E2 [2'29"]
10 Quaderno degli esercizi [3'43"]

Unità 3
11 Per cominciare 3 [1'45"]
12 C2 [0'42"]
13 C3 [1'59"]
14 Quaderno degli esercizi [3'19"]

Unità 4
15 Per cominciare 3 [1'45"]
16 B1 (a, b, c, d, e) [1'01"]
17 Quaderno degli esercizi [2'38"]

Unità 5
18 Per cominciare 1 [1'02"]
19 Per cominciare 3 [1'31"]
20 B1 (1, 2, 3, 4, 5) [1'22"]
21 D2 [2'59"]
22 E3 (a, b, c, d) [2'23"]
23 Quaderno degli esercizi [1'52"]

È possibile ascoltare le tracce dei CD audio anche in streaming sul sito di Edilingua (materiali per studenti).

CD audio 2 [61'36"]

Unità 6
1 Per cominciare 2 [0'40"]
2 Per cominciare 3 [1'39"]
3 A7 (1, 2, 3, 4, 5, 6) [1'32"]
4 C1 [1'19"]
5 D2 [1'38"]
6 D6 [1'57"]
7 Quaderno degli esercizi [3'04"]

Unità 7
8 Per cominciare 3 [2'09"]
9 C1 [1'17"]
10 D2 [3'09"]
11 Quaderno degli esercizi [2'11"]

Unità 8
12 Per cominciare 2 [0'31"]
13 Per cominciare 3 [1'31"]
14 B1 (1, 2, 3, 4, 5, 6, 7, 8) [2'11"]
15 C6 [2'25"]
16 Quaderno degli esercizi [2'54"]

Unità 9
17 Per cominciare 2 [1'33"]
18 B1 (a, b, c, d, e) [1'33"]
19 C1 [2'42"]
20 Quaderno degli esercizi [3'03"]

Unità 10
21 Per cominciare 2 [0'36"]
22 Per cominciare 3 [1'42"]
23 B3 (a, b, c, d, e, f) [1'41"]
24 D1 [2'52"]
25 Quaderno degli esercizi [3'42"]

Unità 11
26 Per cominciare 3 [1'45"]
27 D2 [3'38"]
28 E2 [3'15"]
29 Quaderno degli esercizi [3'09"]

ISBN 978-88-9843-311-7

Una grammatica italiana per tutti 2,
correda e completa benissimo *Nuovo Progetto italiano 2*, in quanto segue la stessa gradualità grammaticale e lessicale. Il libro è organizzato in una parte teorica, che esamina le strutture della lingua italiana in modo chiaro ma completo, utilizzando un linguaggio semplice e numerosi esempi tratti dalla lingua di ogni giorno, e in una parte pratica, con tanti differenti esercizi con le rispettive chiavi in appendice.

ISBN Libro 978-960-693-066-9
ISBN Libro+CD 978-960-693-065-

Collana *Primiracconti*, letture semplificate per stranieri.
L'eredità (B1-B2), racconta la storia di Laurence, capo reception in un hotel di lusso, la quale stufa di lavorare per ospiti snob e arroganti decide di trasferirsi in Piemonte e trasformare in un Bed&Breakfast la cascina ereditata dal padre. I parenti e gli amici fanno il possibile per aiutarla a realizzare il suo progetto, ma una terribile scoperta convince Laurence che è meglio mollare tutto e tornare in Svizzera, quando...

ISBN 978-960-6632-34-1

Undici Racconti,
ispirandosi alle situazioni di *Nuovo Progetto italiano 2*, approfondisce gli argomenti trattati nel manuale e ne reimpiega il lessico. Ciascun raccontino presenta un utile mini-glossario a piè di pagina ed è accompagnato da alcune attività con relative chiavi.